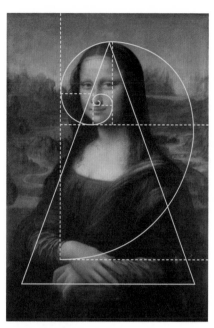

名画中的数学密码

梁进——著

科学普及出版社
· 北京 ·

图书在版编目（CIP）数据

名画中的数学密码 / 梁进著 . —北京：科学普及出版社，2018.3

ISBN 978-7-110-09683-3

Ⅰ.①名… Ⅱ.①梁… Ⅲ.①绘画–关系–数学–研究 Ⅳ.① J20–05

中国版本图书馆 CIP 数据核字 (2017) 第 274416 号

策划编辑　杨虚杰
责任编辑　汪晓雅
装帧创意　林海波
设计制作　犀烛书局
责任校对　杨京华
责任印制　马宇晨

出　　版　科学普及出版社
发　　行　中国科学技术出版社发行部
地　　址　北京市海淀区中关村南大街 16 号
邮　　编　100081
发行电话　010–62173865
传　　真　010–62173081
网　　址　http://www.cspbooks.com.cn

开　　本　787mm×1092mm　1/16
字　　数　220 千字
印　　张　14.5
版　　次　2018 年 3 月第 1 版
印　　次　2018 年 3 月第 1 次印刷
印　　刷　北京利丰雅高长城印刷有限公司

书　　号　ISBN 978-7-110-09683-3/J·514
定　　价　58.00 元

序

用数学的眼睛看绘画

梁进老师是研究应用数学的，长于偏微分方程——万物演化的基本法则大多是通过这样的方程来描绘的，也醉心于艺术，曾"蹭过"世界各地的博物馆，见过无数名画，发掘了众多名画中潜藏的数学元素和精神，于是在科学网上发表了系列"世界名画中的数学"的博文，赢得众多读者喜爱，现在则有了这本书。这当然是一本与众不同的名画欣赏读物，它一定会引领更多的读者用新的眼光和心情去看绘画，乃至看艺术、看自然、看人生。因为，在数学的舞台上，我们和世间万象都是在不断变换着、演化着——当然，遵从一定的偏微分方程——的"点线面"，呈现为一幅幅不同风格和流派的图画。我想本书带给读者最大的启发是，改变对数学的偏见，对科学的偏见，对思维的偏见，让科学与艺术重新融合在头脑里。

时下流行"像艺术家一样思考"，似乎不是因为艺术家创造"美"——后现代派也创造"丑"，就让他们自己玩儿吧——而是因为他们"创造"了特殊的思维方式，令

人眼红了。遗憾的是，人们闹着学艺术家的思维时，冷落了同样创造思维的数学家兄弟。这也难怪，不知从什么年月起，谁谁谁们就将艺术思维与科学思维分开了，将感性与理性对立了。这种"二分法"既夸张也荒唐，不但离间了科学和艺术，也让"理工男"与"文艺女"变成星河两岸的牛郎和织女，盈盈一水间，相望却无言。结果是，我们的头脑越来越残缺了。我们读这本书，也许能惊奇于一个平凡的事实：科学与艺术从来都是相通的，"最抽象"的数学与"最具象"的绘画，有时简直像孪生兄弟。

5000多年前古埃及奥西里斯神庙的"生命之花"，就是"一群"圆圈的组合，像几何习题的插图。简单几何图形的重复、变形及其显现的对称和韵律，是几千年来不变的艺术"基元"。如果说绘画来源之一是自然物象，那么来源之二就是几何，绘画在不知不觉中成了数学的小兄弟。在文艺复兴时期，绘画更是自觉地融合科学精神。我们在达·芬奇的手稿里可以看到时代的风尚："先学科学，然后在科学

的指引下实践"（First study science, then follow the practice that born of that science）。他认为，绘画是科学活动，而且是最高级的活动。他的笔记手稿满是光线、阴影、透视、色彩，还有人体结构和"清流激湍"，几乎就是带插图的科学启蒙课本。

有趣的是，当科学风尚改变时，绘画风格似乎在跟着转变。二者虽无直接的因果，却从不同侧面代表了时代的文化生态。史家们常说时代思潮和时代文艺——如王国维说"凡一代有一代之文学"——我们同样可以说时代科学和时代数学。如果说古典时代科学与艺术的自然融合是因为那时的科学与文艺还不够"百花齐放"，那么近代的文艺风尚与科学风尚的呼应，则足以令人惊奇和惊喜了：从安格尔与德拉克罗瓦的线条—色彩之争，到莫奈的光影、塞尚的色块和毕加索的立体，都呼应着科学的风尚。如果说古典绘画抱着欧几里得几何的时空，那么立体画派更倾向非欧几何，更像拓扑学（参见立体派画家 Albert Gleiser 和 Jean Metzinger 的《立体主义》）。当康定斯基让"色彩与形态"摆脱物象时，物理学也在从实验模型走向几何化（如相对论和规范场论），实现了哈代（华罗庚在剑桥的老师）所说的，数学家和画家一样，都创造"模式"。数学的概念和符号，犹如画家的线条和色彩，数学的结构犹如绘画的场景，而艺术"美"也就成为数学"真"的一个标准。这令人想起大诗人济慈因古希腊陶瓮而发的感叹："美即是真，真即是美"（Beauty is truth, truth is beauty）。大数学家外尔说，"我的工作总需要将真与美统一起来，当我不得不选择其一时，我通常选择美"。控制论创始人、自称"昔日神童"的维纳也在自传里表达过他的艺术式的数学体验：数学家最好的回报就是能爱上他发现的东西，犹如塞浦路斯国王爱上他自己塑造的雕像皮格马利翁（Pygmalion）一样。

所以，数学晤对绘画，不是旁观者看画展，而是"会心人别有怀抱"，能发现画家自己都或许感觉了却并不明白的东西。我们看埃舍尔的画，会惊讶抽象的几何结构和空间变换以及难以言表的逻辑怪圈，竟能那么活泼泼地呈现出来。然而埃舍尔的数学并不好，从来就没及格过。但他"莫名其妙就理解了数学"，似乎自己是数学家们"失散多年的兄弟"（见恩斯特《魔镜，埃舍尔的不可能世界》）。在不懂数学的埃舍尔的绘画里，我们还能看到相对论、黎曼几何和量子场论的"形象"——绘画在无意间生出数学，当然需要用数学的眼睛去看它；另外，数学法则本来就"存在于"自然世界和精神世界，绘画表现自然和自然激发的心情，当然也必然会隐藏数学。绘画过滤和抽象了世界，数学不过是再抽象一回罢了。越是抽象，越能虚怀地包容万象。

诗人画家王维画"雪中芭蕉"，曾引出科学家沈括的高见："书画之妙，当以神会，难可以形器求也。（《梦溪笔谈》卷十七）"所谓"神会"，就是不能"心为形役"，而应以模式、韵律和精神去契合画的精神，而不是拿自然的物象去比较画面的形象。西方古典绘画是具象的，我们的写意山水也具象，即使缺一点"神会"也能看出几分模样；现代绘画没那么多"象"可以触摸了，必须换一种眼光去看。正如梁老师在解读康定斯基的抽象画时说的，我们需要从作品的"结构"看出它的"函数空间"。就是说，当我们用数学图像去看画，能自然把握它的元素、结构和韵律。例如我们看蒙德里安的"蓝色组合"，那些杂乱的大大小小深深浅浅重重叠叠的色块，并不代表什么具象的东西，却很好刻画了一种统计分布，不管什么东西的统计，我们觉悟了统计分布就好了，它可以存在于任何地方……

从某种意义说，数学就是脱离了物质世界的"抽象画"，它的形式和精神也就是绘画的形式和精神。正如康定斯基说的，"数是各类艺术最终的抽象表现"。我们用数学的眼睛来看绘画，只不过是与失散的兄弟重逢，尽管他们越来越陌生了。

李泳

中国科学院水利部成都山地灾害与环境研究所研究员

前 言

在人们的印象中，艺术家疯疯癫癫，数学家痴痴呆呆，艺术和数学风马牛不相及，即便有点关系，也是简单的黄金分割构图或者数学公式的均衡美感。其实，数学和艺术都是人类智慧的结晶，在哲学的高度殊途同归。艺术是形象思维的高度抽象，数学是逻辑思维的高度抽象，数学研究数和形，所以也包含形象逻辑，艺术也讲究逻辑，所以也包含逻辑形象。数学的深刻思想有时在没有数学训练的艺术家的画面上得到诠释，艺术的精彩理念也会在远离艺术的数学家的推演中得到淋漓宣泄。

我长期从事数学研究，自认为对艺术没有多么深的造诣。对于世界名画，也只是喜欢，并且欣赏它们时多少带点数学的眼光。这本书源自一次数学文化会议。我选择了"世界名画背后的数学"这样一个主题。作为准备，我尝试将部分内容发表在科学网的博客上，没想到很受读者的欢迎。读者们认为，我以一个独特的，过去很少人注意的角度欣赏艺术，所以有点意思。两年来，我陆续发表了几十篇相关博文，而且以此为主题分别

在《中国科学报》和《上海教育》上写专栏。感谢科学普及出版社将这些内容集合成书，特别在对这本书的艺术性方面下了很大的功夫。使这本书可以从一个全新的视角去解读世界名画以及背后的数学密码，让读者特别是有理工科背景的读者也能以自己的专业背景欣赏世界顶尖艺术。在本书中，我特别强调这些名画及其流派形成的年代和背景，我认为社会的思潮和科技的成就对艺术发展有着至关重要的影响，反过来也是一样的。

本书分为6章，分别沿着社会发展的脉络，从古代艺术的朴素数学萌芽，到科学觉醒即文艺复兴的年代，然后是工业革命对绘画的影响，以及计算机、信息时代艺术的发展，通过欣赏相应时期的流派，如印象派、现代派和抽象派具有代表性的艺术家们的一些作品，从数学的角度加以解读，并捎带介绍了相关的数学家和数学学科及其发展。对照科学和艺术的发展，我试图找到这些艺术流派形成的数学理念和科学背景。这本书不是在谈艺术史，所以选择的画家和画作虽然都很有名，但并不全面。主要的考量是从数

学角度而不是艺术地位。我特别列出一章，专门谈数学艺术家埃舍尔，因为他就是艺术与数学融合的象征，尽管在艺术界他很另类。第6章专门谈中国画，中国画中数学的痕迹较轻，但很多内涵与数学思想也是相通的。

目录

序

前言

第 4 章   抽象空间孕育艺术多样化

第 5 章   数学艺术大师埃舍尔

第 *6* 章　　中国画中的数学元素

后记

大弦嘈嘈如急雨，小弦切切如私语。
嘈嘈切切错杂弹，大珠小珠落玉盘。

——白居易《琵琶行》

第 /章
文明中的数学基因

古文明中的朴素数学

克莱因评价古文明时这样说：

> 古典时期希腊人的雕塑，并不注重个别的男人和女人，而是注重理想模式，这种理想化加以扩展后，就导致了身体各个部位比例的标准化。
>
> 如同将雕刻标准化一样，希腊人将他们的建筑也标准化了。他们简朴的建筑总是呈长方形，甚至长、宽、高的比例都是确定的。
>
> ——《西方文化中的数学》[1]

的确，理性的数学与感性的艺术在漫长的历史中互相纠缠，也互相影响各自的进程。

美是自然的，发乎直觉的，古文明的美中隐含几何因素也就是很自然的事了。

佚名古画《上帝是几何学家》反映了一个基本观点，数学掌控着宇宙最基本的规律，也就是大自然的美。

图 1-1 上帝是几何学家
(God the geometer. *Codex Vindobonensis*，c. 1220)

人类自从学会了劳动，艺术便随之而生。人类最初的创作也许只为了实用，但"美"的意识却已蕴含其中。审视远古时

---

1. 莫里斯·克莱因（Morris Kline，1908—1992 年），《西方文化中的数学》（*Mathematics in Western Culture*），张祖贵译，复旦大学出版社，2005.

代的祖先留下的珍贵物件器皿时，我们会发现，这些东西虽然材质粗陋，但手艺高超，形状符合数学中优美的几何原理。在不同的古文明体系里，很多东西是有共性的。

图 1-2　成都金沙遗址博物馆展出的中国古代器皿

图 1-3　美国大都会博物馆展出的古伊朗带山羊装饰的储物坛（前 3800 — 前 3700 年）

图 1-4 加拿大卡皮拉诺吊桥公园里展出的加拿大第一民族图腾柱

黄金分割

人们对美的觉醒，即从直觉到自觉，几乎与对数学的研究同步。

丹·布朗的畅销小说《达·芬奇密码》（*The Da Vinci Code*）开始是这样一个场景。法国巴黎卢浮宫博物馆（Musée du Louvre）馆长被暗杀，尸体四肢张开躺在卢浮宫里，旁边有一串数字：13-3-2-21-1-1-8-5 和 两 行 文 字：O，Draconian，devil（啊，严酷的魔王）；Oh，Lame Saint（哦，瘸腿的圣徒）。数字是具有黄金分割数列之称的菲波那契数列的前八项，但顺序打乱，暗示后面的两段文字应该重排。重排的结果是：Leonardo da Vinci（列昂纳多·达·芬奇）和 The Mona Lisa（蒙娜丽莎）。画家达·芬奇、名画《蒙娜丽莎》与数列菲波那契、黄金分割比例就这样联系起来。

黄金分割是指将整体分为两部分，较大部分与整体部分的比值等于较小部分与较大部分的比值。这个比例被公认为是最能产生美感的比例，因此称为黄金分割。传说有一天古希腊数学家毕达哥拉斯

（Pythagoras of Samos，前 570— 前 495 年）在街上听到铁匠铺里的打铁声非常好听。善于动脑筋的他仔细倾听研究，发现了铁匠打铁的节奏比律。这个比律后来被人们称为黄金分割比例，也被认为最早是由毕达哥拉斯发现，并在音乐中有广泛应用。（图 1-5）那张中世纪留下的木刻就试图说明这一点。后来古希腊数学家欧多克索斯（Eudoxus of Cnidus，前 408—前 355 年）第一次对这个比例进行了系统研究，其研究结果被写进欧几里得（Ευκλειδη Eukleidēs，前 330— 前 275 年 ）的《几何原本》，成为最早有关黄金分割的论著。这个比例后来更被天文学家开普勒（Johannes Kepler，1571—1630 年）称为神圣比例。

图 1-5 中世纪木刻

用数学式子表示为:

$$\frac{整体长度}{较长分段的长度}=\frac{较长分段的长度}{较短分段的长度}.$$

如果用 a 表示较长分段的长度,b 表示较短分段的长度,注意到整体长度 $=a+b$,那么可用下图表示:

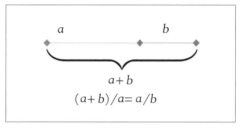

图 1-6

我们从上面的式子可以推出较长分段比较短分段的比值满足:

$$\left(\frac{a}{b}\right)^2-\left(\frac{a}{b}\right)-1=0.$$

而用一元二次方程的求解方法,易得解

$$\frac{a}{b}=\frac{1\mp\sqrt{5}}{2}.$$

同样,较短分段比较长分段的比值满足:

$$\left(\frac{b}{a}\right)^2+\left(\frac{b}{a}\right)-1=0.$$

这个方程的根为

$$\frac{b}{a}=\frac{-1\pm\sqrt{5}}{2}.$$

即互为倒数的两个解的根互为反号，而且
两个正根之差的绝对值为 1。它们是无理
数，小数点后面相同，有无穷多位，近似
数是 0.618，即两个根的绝对值的近似数分
别为 1.618 和 0.618。这就是黄金分割比例
值的来历。它还有更奇妙的表达方式如连
分式：

$$\frac{1+\sqrt{5}}{2} = \cfrac{1}{\cfrac{1}{\cfrac{1}{1+\ddots}+1}+1}+1,$$

$$\frac{-1+\sqrt{5}}{2} = \cfrac{1}{\cfrac{1}{\cfrac{1}{1-\ddots}-1}-1}-1,$$

以及连根式：

$$\frac{1+\sqrt{5}}{2} = \sqrt{1+\sqrt{1+\sqrt{1+\sqrt{1+\ldots}}}},$$

$$\frac{-1+\sqrt{5}}{2} = \sqrt{1-\sqrt{1-\sqrt{1-\sqrt{1-\ldots}}}}.$$

事实上，前后两个连分式可以表示成数列
$\{a_n\}$，$\{b_n\}$，

$$a_{n+1} = \frac{1}{a_n} + 1,$$

$$b_{n+1} = \frac{1}{b_n} - 1,$$

而前后两个连根式也可表示成数列 $\{c_n\}$，$\{d_n\}$，

$$c_{n+1} = \sqrt{1+c_n},$$

$$d_{n+1} = \sqrt{1-d_n},$$

对四个递推式的两端取极限，如果极限存
在（它们的确存在），计为 $L_a = \lim\limits_{n\to\infty} a_n, L_c = \lim\limits_{n\to\infty} c_n$ 则它们都满足同样的方程：

$$L^2 - L - 1 = 0,$$

而 $L_b = \lim\limits_{n\to\infty} b_n, L_d = \lim\limits_{n\to\infty} d_n$ 都满足方程

$$L^2 + L - 1 = 0,$$

这就是我们前面提及 a/b 和 b/a 分别满足的
方程，它们的正根分别是 $\frac{1+\sqrt{5}}{2}$ 和 $\frac{-1+\sqrt{5}}{2}$。

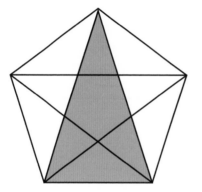

图 1-7 正五边形

一个等腰三角形，如果两个底角是 72 度，即弧度 $2\pi/5$，则我们叫它黄金三角形（见图中边长为 1 的正五边形里的棕色三角形，其底为 1，其腰为 L）。这个三角形的底腰比 $1/L = 2\sin(\pi/10) \approx 0.618$。 事实上，由正五边形里的白色三角形，我们可以得到 $\cos(\pi/5) = L/2$。再由倍角公式，我们可以得到 L 满足的方程：

$$L^3 - 2L^2 + 1 = 0.$$

显然，$L \neq 1$，上面的等式两边除以 $L-1$，我们又得到了上面那个正根为 $\dfrac{1+\sqrt{5}}{2}$ 的一元二次方程，所以，黄金三角形的腰底比为 $L = 1.618$，底腰比为 $1/L = 0.618$。而这样的三角形在正五边形里和五角星里到处可以找到。

黄金分割的几何画法如下图：$\triangle ABC$ 是直角三角形，$AC = 2BC$，用圆规以 B 为顶点，BC 为半径，做圆弧交 AB 于 D 点，再以 A 为顶点，AD 为半径做圆弧交 AC 于 E 点，则 E 就是 AC 的黄金分割点，事实上：如 $BC = 1$，$AC = 2$，则由勾股定理 $AB = \sqrt{5}$，从而

$$AE : AC = AD : 2 = (\sqrt{5} - 1) : 2 = \frac{-1 + \sqrt{5}}{2},$$

同样 $EC : AE = (2 - AD) : AD = (3 - \sqrt{5})$ $/(\sqrt{5} - 1) = \dfrac{-1 + \sqrt{5}}{2}$，两者相等，近似为 0.618。

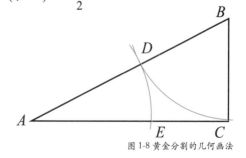

图 1-8 黄金分割的几何画法

　　用 1–0.618 乘以圆周 360 度，近似得到 137.5 度，这个角度也叫黄金角度，在大自然的进化过程中，为了得到最优的阳光和养分，植物的分叉、花叶的排列大都采用了这个角度。

　　黄金分割在自然界大量存在，人体的比例、动物的结构，以及植物的形状。例如，枫叶的长宽度比、蝴蝶的身长和翅宽比、鹦鹉螺的扩张比等。晶体的结构也往往与斐波那契数列有关。在古建筑中如雅典巴特农神殿和埃及的金字塔也遵循着黄金分割原则。著名数学家华罗庚先生晚年推广的优选法中的一种就是黄金分割 0.618 法。

图 1-9 埃及金字塔

图 1-10 雅典帕特农神庙遗址

斐波那契数列

意大利数学家列昂纳多·毕萨诺更为人知的名字是斐波那契（Leonardo Pisano, known as Fibonacci, 1170—1250 年），他发现了由递推定义的每项等于前两项之和的著名的斐波那契数列：

0, 1, 1, 2, 3, 5, 8, 13, 21, 34, 55, 89, 144, 233, 377, 610, 987, 1597, 2584, 4181, 6765, 10946, 17711, 28657, 46368 ……

这个神奇的数列相邻两项后前相除所得的商随着项数的增大将趋近于 $\dfrac{1+\sqrt{5}}{2}$。斐波那契数列因此被称为黄金分割数列。事实上，由斐波那契数列的定义，a_n 是这个数列的第 n 项，则它满足

$$\frac{a_{n+1}}{a_n} = \frac{a_n + a_{n-1}}{a_n} = 1 + \frac{a_{n-1}}{a_n}$$

等式两边对 n 取极限，如果 $\lim\limits_{n \to \infty} \dfrac{a_{n+1}}{a_n} = L$ 存在，那么 $\lim\limits_{n \to \infty} \dfrac{a_{n-1}}{a_n} = \dfrac{1}{L}$，上面的式子就可以再次推出前面我们得到过的黄金分割所满足的那个神秘的一元二次方程：

$$L^2 - L - 1 = 0.$$

从而得到 L 就是黄金分割数。斐波那契数列是自然数的数列，通项公式却是用含无理数的公式：

$$a_n = \frac{1}{\sqrt{5}} \left[\left(\frac{1+\sqrt{5}}{2} \right)^n - \left(\frac{1-\sqrt{5}}{2} \right)^n \right].$$

这个公式可以这样求解：记上面关于 L 的方程的两个根分别为 $L_1 = \dfrac{1+\sqrt{5}}{2}, L_2 = \dfrac{1-\sqrt{5}}{2}$，则对方程两端反复同乘同一个根，就有

$$L_i^{n+1} = L_i^n + L_i^{n-1}, \quad i = 1, 2,$$

我们有

$$\begin{aligned} G_{n+1} &= aL_1^{n+1} + bL_2^{n+1} = a(L_1^n + L_1^{n-1}) + b(L_2^n + L_2^{n-1}) \\ &= (aL_1^n + bL_2^n) + (aL_1^{n-1} + bL_2^{n-1}) = G_n + G_{n-1}. \end{aligned}$$

所以 G_n 是菲波那契数列，特别，当 $n=1,2$ 时，我们得到

$$\begin{cases} aL_1 + bL_2 = 1, \\ aL_1^2 + bL_2^2 = 1, \end{cases}$$

解得，$a = -b = \dfrac{1}{\sqrt{5}}$　。也就得到了上面的通项公式。

斐波那契数列有一个兔子版本：斐波那契养着一只神奇的兔子，这种兔子一个月后长大，再过一个月就会产下一只小兔，如果这些兔子既不死亡，也不转手，以后每个月他有多少只兔子？容易推算，如果记 F_n 为第 n 个月的兔子数，则其满足

$$F_1 = F_2 = 1, \quad F_{n+1} = F_n + F_{n-1}, \quad n \geq 2,$$

这神奇的兔子的增长正是按斐波那契数列走。当然，如果菲波契那离开这个世界时不把这些兔子带走，那么，现在的天下将是兔子的天下。

还有我国著名的二项式展开系数的杨辉三角形（也叫贾宪三角形）：

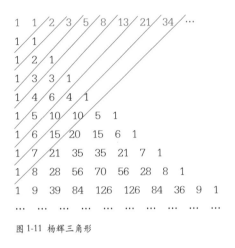

图 1-11　杨辉三角形

如果沿图示的斜角线顺序将数字加起来，得到的第一排的红色数列也是斐波那契数列。

就是斐波那契数列本身，其平方数列为：

1，1，4，9，25，64，169，441，1156……

那么1+1=2，1+4=5，4+9=13，9+25=34，25+64=89……仍然得到斐波那契数！

再来看，把前几项加起来：

1+1=2=1×2，

1+1+4=6=2×3，

1+1+4+9=15=3×5，

1+1+4+9+25=40=5×8,

1+1+4+9+25+64=104=8×13,

……

居然得到斐波那契数列前后两数相乘！太神奇了！这个结果就隐含在下列图形中。

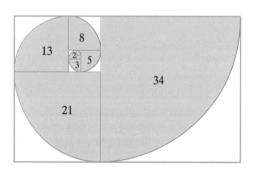

图 1-12 黄金矩形

在平面上按斐波那契数展开，得到的矩形叫黄金矩形，沿着黄金矩形的对角走，我们得到了一条漂亮的螺线，这个螺线也叫对数螺线（也叫等角螺线），发现它的是法国数学家笛卡尔（René Descartes，1595—1650 年），瑞士著名的数学世家贝努利家族的雅各布·贝努利（Jakob

Bernoulli，1654—1705 年）一直研究它，太喜欢这条螺线了，甚至要求将这条螺线刻到他的墓碑上，并附言"纵使改变，依然故我"(eadem mutata resurgo)，尽管后来工匠悲剧性地误刻了阿基米德螺线（等速螺线，见图 1–13）。

图 1-13 雅各布·贝努利墓碑

绘画色彩

充满数学意味的黄金分割给出了绘画的结构，则另一个隐含数学元素的色彩分布则是绘画的颜面。色彩除了物理的性质以外，其组合也符合数学规律。色彩中不能再分解的基本色称之为原色，原色可以合成其他的颜色。关于彩色光，这就是我们通常说的三原色：红、绿、蓝。三原色可以混合出所有的颜色光，全部同时混合起来则是为白色光。从数学的角度上讲，这三色光就是色彩光空间的基数，它们形成了色彩空间的如 x、y、z 那样的基本数轴，而可见光构成的一个边长为 255 的立方体中包含了所有的颜色，每个颜色在这个立方体中都有自己的坐标（r、g、b），这个坐标标志着三原色在这个色彩中的比例。例如纯红、白色和黑色的坐标分别为（255，0，0）、（255，255，255）和（0，0，0），黑色就是原点，大自然和艺术家就利用这个立方体给我们呈现出丰富多彩的世界。另一方面光是波，而波在数学上可用正弦（或余弦）函数表示，而波长是这些函数的特征。在光谱上，每个光色都有自己的波长，如红色的波长是 700nm 左右，而光的混合就是这些光波的叠加，由三角函数的叠加原理，得到一个新的波长函数，这就是新的色光的波函数。当然，对于画家使用的颜料，实际上是吸收了部分色光，所以混合颜料的效果是减色的。颜料的三原色是品红、黄和青，全混得到的结果是黑色。

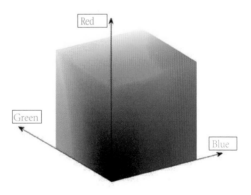

图 1-14　三原色立方体

艺术和数学的互动

如果说含无理数的黄金分割是所处数学萌芽期（公元前 600 年以前）经历了第一次数学危机（无理数的出现）的古希腊数学家对艺术的贡献，那么随后数学的发展又经历了初等数学时期（公元前 600 年至 17 世纪中叶），该阶段相对于文化黑暗的中世纪；变量数学时期（17 世纪中叶至 19 世纪 20 年代），数学由静而变，经历了第二次危机（微积分的产生），而其间也发生了文艺复兴和工业革命，绘画艺术在此期间有了革命性的发展，从科学因素的融入到主观情绪的宣泄，绘画的各种流派精彩纷呈；近代数学时期（19 世纪 20 年代至第二次世界大战），数学经历了第三次危机（罗素悖论），此时资本主义社会的主体已基本形成，讲究个性的艺术越走越抽象。现代数学时期（20 世纪 40 年代以来），计算机的广泛应用让数学插上了翅膀，艺术更是百花齐放。在历史发展过程中，数学经历了从具体到抽象，从平面几何到非欧几何，从静态到动态，从确定到随机；而艺术的发展也按自己的脚步呼应着这样的变化。

对于数学是"美"的问题，克莱因说："事实上，对美感愉悦的寻求，一直影响并刺激着数学的发展。"数学家杰瑞·金（Jerry P. King）曾说"数学的钥匙是优美而不是繁琐和技术"(the keys to mathematics are beauty and elegance and not dullness and technicality），而且美是数学研究的动力。古希腊先贤到近代科学革命中的哥白尼、开普勒、牛顿再到现代的瑞利、罗素，他们都对数学推理的美之无穷魅力赞叹不已。

人们不仅研究数学的美，而且也游戏数学。弈棋就是"玩数学"的一种方式，而弈棋也是人类很早就有的数学活动。

图 1-15 日本鸟居清长（Torii Kiyonaga）：日本将棋、围棋和双陆棋（Shogi、Go and Ban-Sugoroku，1780 年）

计算机美术

科学技术的发展改变着人们的生活方式，伴随而来的是现代化工具强势地进入人们的生活，绘画也不例外。绘画工具从远古时期的树枝、泥刀到后来的炭笔、油笔，今天，又有一个全新的角色成为绘画工具，这就是计算机。计算机绘画成为美术界的一朵奇葩，同时也有了一种新的艺术家——计算机艺术家。在百花齐放，绮丽诡异的计算机绘画作品中，我们选取一幅德斯蒙德·保罗·哈利（Desmond Paul Henry，1921—2004 年）的早期作品《机器 1》（*Machine 1*，1962）。

图 1-16　机器 1

哈利是曼切斯特大学的哲学讲师，最早探索计算机绘画的人。这幅画的繁复细腻产生的抽象飘逸美感让人在现实和虚幻想象空间里游弋。计算机绘画和雕塑不但大大地改变了绘画艺术原有的模式，还改变了绘画者原有的思维流程，它不再拘泥于一种单纯的形式，创造者可无限次地屏幕上修改，不计材料与成本，直到满意为止。这里，人还是主导，机器按照人的意志通过数学程序绘图和 3D 打印，当然，产生的效果有时也超出了创作者的期望。这是现代技术对数学和艺术的最好标注。今天，更有人工智能的绘画机器人的诞生，为美术天地扩展了更大的空间。

碧玉妆成一树高，万条垂下绿丝绦。
不知细叶谁裁出，二月春风似剪刀。

——贺知章《咏柳》

第 2 章
文艺复兴诞生爱和美的真谛

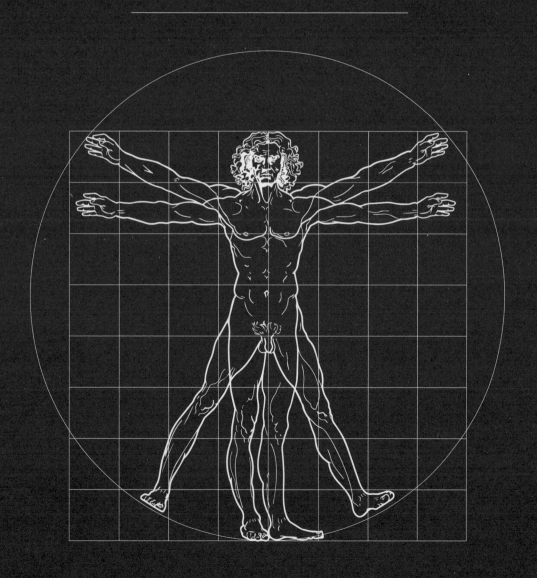

图 2-1 维纳斯的诞生

维纳斯的诞生 (*The Birth of Venus*， 1485 年)，是意大利画家波提切利创作于 1432 年左右的名作。他从一首长诗中受到启迪，运用浪漫主义的处理方式，以极富想象力的构图，创造出一个瑰丽和奇幻的神话幻境。这个幻境落在了人间塞浦路斯的海边，神仙们都展现着理想的人形。宁静的气氛中，从海洋中诞生的维纳斯优雅地站在漂浮着的贝壳上，娇柔纯洁，金色长发随风扬起，缠绕着她珍珠般的玉体，她的目光清亮却迷惘。左边风神（Zephyrus）轻吹送岸，春神（Chloris）漫天散花。右边的时序女神（Horae）身着盛装，用华丽的锦衣迎接维纳斯。维纳斯是希腊神话中爱与美的女神，此画出现在文艺复兴时期，有很强的隐喻性，因为爱和美分别是人性和科学的真谛，这恰恰是文艺复兴运动的精神。

　　文艺复兴运动（原词为法文 Renaissance）是指 14~16 世纪西欧各国资产阶级的思想解放和文化发展运动。经过漫长的中世纪黑暗时代的沉默，文艺在古代曾高度繁荣的希腊和罗马的故土上"再生"与"复兴"。究其原因，尽管意识形态上资本主义的萌芽是催生剂，但冲破了宗教的束缚的科学才是其内在动力。文艺复兴的核心是人文主义精神，即将关注点从虚无缥缈的神转移到现实生活的人上，肯定人的尊严和价值，倡导个性解放，反对迷信神学。这时科学从中世纪的神学枷锁中解放出来，用一种全新的形态，以天文学和医学作为突破口，充满活力，有力地促进了思想启蒙。这时，实事求是的精神取代了盲目迷信的行为。同时为资本主义的民主、平等和自由的思想准备了文化摇篮。事实上，科学的进步促使文化艺术全面而蓬勃地发展。

　　在这个时期神学遭到质疑，科学由思辨转向务实，而艺术却有了数学化的倾向。克莱因分析了当时艺术家转向数学的原因是由于他们深受复兴的希腊哲学的影响，他说：

　　数学是真实的现实世界的本质，宇宙是有秩序的，而且能按照几何方式明确地理性化。

　　　　　　　　——《西方文化中的数学》

　　具体在艺术上，数学的手法如透视已应用于绘画。保罗·尤采罗（Paolo Uccello）第一次用透视描述一个小战役圣罗马诺战争（Battle of San Romano，1435—1460 年），并画了三幅画，尽管画中的透视应用并不娴熟，却因此留名，三幅画后分别被法国卢浮宫、英国国家美术馆和意大利乌菲齐美术馆这三个顶级美术馆收藏。而后来透视法被发展成一门数学分支：射影几何。

　　科学上最深刻的革命从思想解放开始。举起科学大旗挑战中世纪神学的先驱是提出"日心说"的哥白尼。

　　尼古拉·哥白尼（Nicolaus Copernicus，

1473—1543 年）是波兰天文学家、数学家、教会法博士、医生、神父，是文艺复兴时期的一位巨人。40 岁时，哥白尼就指出宇宙这个上帝之画的密码，提出了日心说，从而否定了教会的权威，也改变了人类对自然和自身的看法。这对当时教会的宇宙观是个巨大的冲击。罗马天主教廷认定他违反了《圣经》并予以迫害。但哥白尼仍坚信日心说，并经过长年的观察和计算用业余时间完成了《天体运行论》，并在罗马进行了一系列的讲演。直到临辞世前他才决定出版这本伟大的著作，弥留时他才收到样书。他以科学的精神开创了一个文化的新纪元。

先进思想的影响是深远的，它必然革新着文化、艺术和科学的方方面面。在科学精神和求真应用的需求下，数学在这段时间里在代数学、几何学、三角学等领域发展很快，为后来数学的起飞打好了基础。

这里，我们试图通过文艺复兴时期艺术大师的一些作品，分析当时科学对艺术的影响，窥探其中的数学因素。

波提切利的神话寓言

图 2-2 春

　　桑德罗·波提切利（Sandro Botticelli，1445—1510 年），原名亚里山德罗·菲力佩皮（Alessandro Filipepi），波提切利是他的艺名。他出生于意大利佛罗伦萨一个手工业者中产阶级家庭，早年学习金匠技术，后在老师的指引下走上艺术之路。 在 15 世纪80~90 年代，他是佛罗伦萨最出名的艺术家，是文艺复兴时期的代表人物。波提切利人文主义思想显著，充满世俗精神，有许多古希腊与罗马神话为题材的作品。画风典雅、秀美。他大量采用异教题材，大胆地用全裸的人物，对后世绘画的影响很大。《维纳斯的诞生》和《春》是他最出名的代表性作品。然而世事多变，人性难测，摇摆不定让他晚节不保，自否前操。这说明时代变革的曲折艰难。

　　《维纳斯的诞生》构图雅致，人物形成一个优美三角形，烘托出一种和谐的气氛。维纳斯立于三角形中轴，三角形两边的神起到了烘托主题的作用。原本较虚的三角形底部，放了一个像花一样绽开的贝壳，这就使得画面既稳定又不紊乱。背景海洋的悠远平静，众神的飞舞欢悦，使得画面既活泼又精致，更衬托出维纳斯的脱俗不凡，真是美不胜收。《维纳斯的诞生》还有另一层含义。当时在佛罗伦萨有种新柏拉图主义的哲学思潮，认为美是不可能靠什么方式从不完美中完善，而只能是与生俱来的，即美是不生不灭的永恒。画家用维纳斯的形象来解释这种美学观念，因为维纳斯一生下来就是完美的少女，无童无老，永葆美丽。

波提切利的另一幅作品《春》(*Primavera* 1482 年)也表现了类似的主题。

《春》又称为《维纳斯的盛世》，创作灵感也来自一首长诗。这幅画和《维纳斯的诞生》现都藏于意大利佛罗伦萨的乌菲兹齐美术馆（The Uffizi Gallery）。《春》的主角仍然是维纳斯。波提切利用音乐和诗般的绘画语言描述春天。这幅画韵律感极强，背景放在了较为幽深但点缀着鲜花的森林，衬托了人物的鲜明形象。神话中的维纳斯是美丽和爱的象征，在波提切利笔下还代表了生命之源，她站在画面中央，比众神稍后，但却没有因靠后而显小，相反看上去更加高大。维纳斯背面恰好出现了一块森林的疏空拱形，好像是头顶光环，使得她的形象极为抢眼，当仁不让地成为主角。画面右上方是充满情欲的风神，他正鼓着腮帮子飘然追拥着含着花枝的春神，春神半推半就地逃离风神，又拉上了正在散花的花神（Flora），被鲜花装点的花神向大地撒着鲜花。维纳斯头顶处飞翔着手执爱情之箭的小爱神丘比特（Cupid），右边是美惠三女神（Three Graces）手拉手翩翩起舞；最左方是主神宙斯特使墨丘利（Mercury），他有一双飞毛腿，手执伏着双蛇的和平之杖，他的手势所到，冬天阴霾尽散，春回大地，百花盛开，万木复苏。画中众神的情绪洋溢着凡人的趣味。虽然表情不是非常欢愉，却也跌宕起伏，一如波提切利的风格，倒春寒似乎还在起作用。

波提切利在这幅画里，将众多的人物从左至右一字排开，不完全遵守透视原理，却因各自的动作使得画面活泼流畅。头顶上的丘比特，恰好和众神一起也形成了一个三角形。但这个弱化的三角形并没有用于稳定，而是通过其顶点起到了强调位于中心的维纳斯而表达春天爱和美的主题作用。这幅文艺复兴时期的杰作，隐喻中世纪黑暗的结束，预示文化春天的到来。

弗兰切斯卡的几何神绘

皮耶罗·德拉·弗朗切斯卡(Piero della Francesca，1416—1492 年) 出生于意大利中部手工业者家庭，文艺复兴初期的画家，也是历史上少有的数学、绘画两栖艺术家。这位富于探索精神的画家非常重视当时兴起的透视学，把它看成绘画的基础，并对此深有研究，他撰写的《论绘画中的透视》(1482 年)，是西方美术史上最早的艺用透视学论著。在数学上，他的贡献在于对球、柱体和多面体的研究，著有多本数学论著。他的作品诠释了艺术、几何在包括神学、哲学以及社会现实的文化复杂系统上的融合，彰显着他所处时代的知识和精神价值。在他一系列的宗教画上，几何形式的人物静静地待在严格的、

图 2-3 鞭打耶稣

合乎透视法则的建筑和自然环境中，明丽的色彩创造出一种光的氛围，庄严静穆。他以几何结构严谨的构图和强大的画面感染力在文艺复兴时代表现杰出，影响深远。弗朗切斯卡具有数学天才，深信只有在那些极其明晰而纯净的几何物体结构中，才能发现最美的东西。他创造出弗朗切斯卡式的"建筑结构式的构图"。他从数学观念出发，把对光线和色彩的敏感与在绘画平面上再现立体空间造型结合起来，形成自己的独特画风。所以他的画有数学般完整的形式和出色的空间感，整体看来又有一种不受时间限制的宁静气息。他一生的创作活动毫无疑问是一个从实用画法到数学再到抽象数学思考的演进过程。

在《鞭打耶稣》(*Flagellation of Christ*，1455—1460 年)中，弗兰切斯卡完美地运用了空间、光线和数学结构。画面有前后两个空间，中央消失点由于透视线的关系而设在远处的墙上。两个空间里的两组人物被华丽的立柱中线所分割，各自有光源，人物刻画细腻、精准，立体感很强，光线很亮。数学的手法将空间拉得很深，很有层次感。

弗兰切斯卡《基督复活》(*Resurrection*，1463—1465 年)是弗兰斯卡伟大的作品之一，是为故居的市政厅创作的。画面也分为两个区域，各有不同的透视线。下面的区域是几个卫兵在睡觉，左二是弗兰切斯卡自画像。上面的区域站着身上带伤却威风凛凛的基督，与下面睡得东倒西歪的士兵形成对比。画中最值得称道的是基督的眼睛，不对称的眼睛里流露出的空明，是看破红尘而又对尘世的悲悯。但这幅壁画却命运多舛，曾被不欣赏他的人粉刷掉，修复后才得以重见天日。二战时，盟军曾轰炸其所在地，幸运的是一位指挥官想起一本书中提到此地有世界上伟大的艺术品，便命令停止轰炸，《基督复活》又逃过一劫。或许这就是天意，印证了画的主题——基督总会复活。

图 2-4 基督复活

达·芬奇的科学魔笔

图 2-5 列奥纳多·达·芬奇自画像

广执牛耳，毫不谦虚地集艺术家和科学家于一身。这位奇才勤奋多产，所涉及的领域之广，之深，在人类历史上是罕见的，光流传下来的手稿就有六千多页，艺术和科学在他的画布上完美结合是很自然的事。他留给人类许多不朽的杰作如《蒙娜丽莎》《最后的晚餐》等，这些画作体现了他广博的艺术造诣、深刻的文化思想、厚重的科学功底和精湛的绘画技巧。他以科学修养探索绘画几何结构和透视空间技法，改变了一代画风，他首次灵活地将各种数学元素应用于绘画中。在自画像中用简洁的笔画勾画出了他深邃的睿智。

文艺复兴的绘画大都是宗教画，即体现圣经的故事。神的形象虽然是以人为蓝本，但却把人理想化，远离了真实的人的形象。那个时代，没有照相机，艺术家们把绘画要达到的逼真效果追求到了极致。为此，达·芬奇成了解剖学家，研究了肌肉、骨骼在各种姿势下的形状；为了在画布的二维空间体现三维的效果，达·芬奇成了几何学家，应用透视、色彩和明暗刻画空

比波提切利年轻几岁的列奥纳多·达·芬奇（Leonardo Di Ser Piero Da Vinci 1452–1519 年）是意大利文艺复兴时期的博学家。他的名头很多但都实至名归：画家、雕刻家、音乐家、数学家、发明家、工程师、解剖学家、建筑师、地质学家、制图师、植物学家、作家等。他横跨文理

间感和立体感。

我们来看他对人体比例研究的一幅画《维特鲁威人》（*Vitruvian Man*，1485 年）。

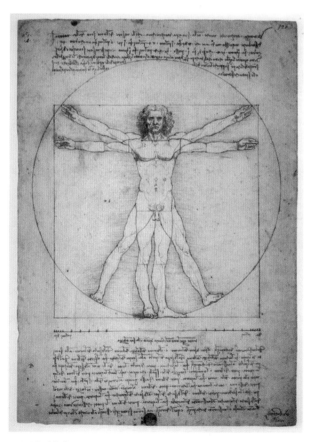

图 2-6 维特鲁威人

男子摆出两个姿势，圆形中的姿势和正方形中的姿势。正方形中男子双脚并拢、双臂平伸，诠释了素描下面的一句话：

人伸开的手臂的宽度等于他的身高。

圆中的姿势将双腿跨开，胳膊举高了一些，解释了更为专业的维特鲁威定律：

如果你双腿跨开，使你的高度减少十四分之一，双臂伸出并抬高，直到你的中指的指尖与你头部最高处处于同一水平线上，你会发现你伸展开的四肢的中心就是你的肚脐，双腿之间会形成一个等边三角形。画中摆出这个姿势的男子置于一个正方形中，正方形的每一条边等于 24 掌长，而正方形被圈在一个大大的圆里，他的肚脐就是圆心。

这幅画在《达·芬奇密码》中成为第一个密码：巴黎卢浮宫博物馆馆长的尸体与这幅画中的第二个姿势一致，这里我们又看到了那神奇的五边形。这部小说通过各种密码引出一系列的智力难题，引导读者揭示一个天大的秘密。这幅画披上了一件神秘的外衣。

关于人体比例，早在古希腊就有了八头身，九头身等说法，维特鲁威的"建筑十论"里也认为完美的建筑应当和人体一样有比例的和谐。人们也意识到了人体与众多的生物一样，是关于中轴镜像对称的。达·芬奇是使用数学去探索人体和谐比例的先驱，他在这幅中暗藏着各种黄金分割的人体比例，他熟练应用几何概念将这些比例表现得更为系统精确，更为淋漓尽致，把美学体感和数学知觉直接联系到一起。它代表了文艺复兴应用科学注视自然，回归人体的思潮，也隐喻了天人合一以达到

理念和技巧的极致融合。人体左右是对称的，但人体的其他方向却不是对称的，但又以相当的程度迎合黄金分割。这个暗合美感的黄金比例并不是对分对称的，有点对称缺损的意思。后来人们进一步认识到对称缺损在自然界也广泛存在。

在佛拉·路卡·巴乔里的著作《神圣比例》里记载着达·芬奇的名言：

绘画是一门科学。绘画科学的第一条原理：绘画科学首先从点开始，其次是线，再次是面，最后是由面规定着的形体。物体的描画，就此为止。事实上绘画不能越出面之外，而正是依靠面以表现可见物体的形状。

在他看来，忠实地反映客观实体是绘画的灵魂，为此支撑绘画的支架就是数学中的几何。

下面，我们从数学的角度来分析他的传世杰作《蒙娜丽莎》（*Mona Lisa*，1503—1506 年）和《岩间圣母》（*Virgin of the Rocks*，1483—1486 年，1495—

图 2-7 蒙娜丽莎

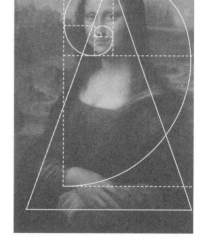

图 2-8

1508 年）以及《最后的晚餐》（*The Last Supper*，1494—1498 年）。

　　现为卢浮宫镇馆之宝的《蒙娜丽莎》中的人物姿态雍容优雅，笑容若隐若现，背景迷离虚幻。画家力图通过人物美丽典雅的面容来刻画其丰富的内心感情，对于其眼角唇边等情感流露的关键处，精雕细刻，达到奇境。加上如梦如幻的背景渲染，使蒙娜丽莎的微笑具有一种魔魅的超凡神韵，被称为"神秘的微笑"，迷倒了古今中外无数观众。从构图上看，这幅画采取了三角结构，使画面稳定、安详。除了那著名的让人痴迷的蒙娜丽莎的微笑，达·芬奇让蒙娜丽莎的手搭起，撑起了画底，构成了一个黄金三角形，而且头、眼、嘴、鼻的位置处处迎合黄金分割，使得整个画面充满了一种从容祥和的氛围。

　　《蒙娜丽莎》被推崇备至，其实黄金三角形和对数螺线功不可没。后来据说人们又找到了另一幅《蒙娜丽莎》的姊妹篇，有研究说两幅的视角略有差异，恰似左右两眼看到的影像。如果这是事实，那么达·芬奇是领了三维立体绘画的先河。几百年后的今天，人们用激光制作全息照片，执分拍合成摄制立体影片，通过遥感技术当"千里眼、顺风耳"来获取更多远外的信息，多少都受了这幅画的"启发"。这幅画还命运多舛，历经失窃、压箱、复制、

图 2-9 岩间圣母

被赝和变卖等遭遇。所以除了"微笑之谜"，这幅画隐还藏着许多未解之谜，如原型之谜、隐喻之谜、真伪之谜等，关于这幅画的各种传说故事也纷纭杂沓，让不少人倾其一生进行研究，从而使得"神秘的微笑"成为永恒之美。

达·芬奇有两幅《岩间圣母》，分别收藏于巴黎卢浮宫和伦敦国家美术馆（The National Gallery）。第一幅画作于 1483—1490 年，第二幅作于 1495—1508 年。这两幅画结构相似，都是以圣母为主轴搭建了一个稳定的三角形，圣母右手扶着圣约翰，左手罩着小耶稣，耶稣背后还有位天使，将耶稣置于三角形的重心之处。这个三角形和那身后不稳定的头重脚轻、层层叠叠又狰狞可怖的丁字形岩石形成一个强烈对比，创造了一个极不稳定环境下的稳定小环境，以此体现圣母的爱护和伟大。这里展现的是第一幅，第二幅则更冷峻。

达·芬奇另一幅画在意大利米兰圣玛利亚德尔格契修道院（Milan Santa Maria delle Grazie）墙壁上的传世杰作《最后的晚餐》则是其应用透视技巧的登峰之作。他利用两边和穹顶的黄金矩形通过梯度聚焦耶稣，并让其后面的远景延伸到无穷。所有的人物只坐在桌子的一边，这有悖于一般晚餐围坐餐桌的习俗，但却方便画家表现人物。事实上，达·芬奇把观众也考虑进情景，使画面具有舞台效果，突破了传统绘画"小窗偷窥"的格局。整个画面耶稣为中心，其他人物对称排开。在主角耶稣平静地声称被出卖后，配角们动作表情不一，起伏不定。画面构成很像一幅数学的三角波形图，而处在画面中心的耶稣如定海神针般起着波不动点的作用。这个波让画面既平静又动荡。在这里隐含着两个有共同在无穷远处的顶点的相似三角形，它们一个底边直达观众，另一个底边就是画面上的人物表演坦然、惊恐、愤怒、怀疑、剖白和慌张的情绪的舞台，而这些情绪通过画面的几何结构沿着波线直接散播感染到观众。

达·芬奇通过他的画作，不仅在艺术上也在数学上留下了浓墨重彩的一笔。

图 2-10 最后的晚餐

米开朗基罗的三维雕塑

文艺复兴艺术另一杰是米开朗基罗。

米开朗基罗·迪·洛多维科·博那罗蒂·西蒙尼（Michelangelo di Lodovico Buonarroti Simoni，1475—1564 年），意大利文艺复兴时期伟大的绘画家、雕塑家、建筑师和诗人。他举世闻名的传世之作有雕刻作品《圣母恸子》（图 2-11）《大卫》《垂死的奴隶》、天顶画《创世记》和壁画《最后的审判》等，他还设计建造了梵蒂冈圣伯多禄大殿和教皇尤利乌斯二世的陵墓。他的艺术风格影响了几个世纪，在人类文明史上留下辉煌的一页。后人将小行星 3001 以他的名字命名，以此来表达对他的尊敬。

米开朗基罗并不像达·芬奇那样博学，但他在对雕塑和壁顶画的贡献是登峰造极的。这里我们来欣赏他在这三方面的代表作品各一。

《圣母恸子》（Pietà）也叫"哀悼耶稣"，是米开朗基罗的成名作。作品 1498 年在罗马展出即获轰动，人们不相信这是当时只有二十几岁的无名小卒米开朗基

图 2-11 圣母恸子

罗的作品，并怀疑作者另有其人。米开朗基罗随即在雕像中圣母胸前的肩带上刻下了 MICHAELA[N]GELUS BONAROTUS FLORENTIN[US] FACIEBA[T]（佛罗伦萨的米开朗基罗·博那罗蒂所作）。这也是米开朗基罗唯一一件有签名的作品。这件伟大的作品曾经被一个疯子损伤，修复后至今保存在梵蒂冈的圣伯多禄大殿（Basilica Sancti Petri）里。雕塑是三维作品，要求比绘画有更准确的空间感，所以数学的因素

将更为基础，许多绘画的平面几何的因素到了这里要求是立体几何。如达·芬奇的画面隐含着许多稳定情景的三角形，《圣母恸子》的基本结构是被认为立体三角形的金字塔形。圣母玛丽亚并没有站着，而是坐着抱着死去的耶稣，好像她被巨大的悲痛压实。作品里人的比例比实际的比例略有差异，成年的耶稣更像个孩子，体格似乎比圣母的身材要小。这是一种艺术的夸张，以突出主题，表现圣母的高大和悲痛，以及生和死的对比，同时这样的伸缩使得作品形成金字塔结构，从而传达出悲悯、安详和稳定的氛围。而又由于金字塔的结构，这种人体的不均衡被巧妙地掩盖了。除了精美动人且传神的肢体，表情、姿态和衣褶语言的表现力，我们还注意到圣母如少女般的面容和她的左手。米开朗基罗刻画的圣母不像达·芬奇笔下圣母的雍容，也不像拉斐尔笔下圣母的华贵，他刻的圣母更像是处女，更有着圣洁的意味。米开朗基罗除了做伸缩变换还做了一个时间变换，将少女的圣母和成年死去的耶稣统一

到一个作品里。圣母的左手的姿势表达了奉献。这暗示着圣母背负天命，早就接受了养子、失子、恸子的悲剧。因此通过艺术处理后的形体鲜明地表现出了人物情感，使作品具有了强烈的感染力。更重要的是，圣母是人，耶稣是神，这尊作品表现的主题是人性关爱神性，以此注解了文艺复兴的精神。这尊雕塑当仁不让地跻身于世界最伟大的雕塑作品行列。

1508 年，米开朗基罗受教宗委托为梵蒂冈城里的西斯廷礼拜堂（Sistine Chapel）绘制天顶画，大约花了 4 年时间。这段时间里，米开朗基罗把自己封闭在阴暗的教堂之内，拒绝外界探访，从脚手架放置、内容安排、构图设计、色彩描绘到完工美化全部由他一人掌控完成。这时米开朗基罗一直是以超凡的智慧和毅力用一种艰难的身姿仰着头，扭着腰，举着臂作画。然而一幅幅旷世之作就是在这样的状态下以一种匪夷所思的方式诞生了。 教宗委托的壁画内容是星空背景上的十二使徒。但是米开朗基罗却另选了更复杂的方

案，取材于旧约圣经中的创世记，整个画组就叫作《创世记》（*Creation*，1508—1512 年）。米开朗基罗在这里诠释了圣经中的话：起初上帝创造天地。地是空虚混沌深渊而黑暗。上帝说"要有光"，又说"让一座坚实的圆穹从水中升起与水分开"，这圆穹为天空。上帝还说"照着我的形象造人"，因此世上才有了人。《创世记》的构成体现着数学元素，整个拱形天顶被划分成若干黎曼三角形和黎曼矩形的小块，每块互相独立，又整体对称，形成一个美妙的几何体。每个小块都表现了一个圣经故事。作品描绘了 343 个人物形象。两边的画簇拥着中心，而中心的九幅画描述了创世记中的三组九个场景：第一组"神的寂寞"：神分光暗、创造日月、神分

水陆；第二组"创造人类"：创造亚当、创造夏娃、逐出乐园；第三组"大洪水"：诺亚献祭、洪水方舟和诺亚醉酒。这些画由绘制的壁柱和饰带分隔开来，并在其上绘上了基督家人、十二位先知以及二十个裸体人物和另外四幅圣经故事。这些人物进行了立体化处理，就像大理石雕刻出来的一样。天顶画的尽头就是充满不同空间层次感的著名的壁画《最后的审判》。整个礼拜堂由此而美轮美奂。

《最后的审判》（*The Last Judgement*，1534—1541 年）

图 2-12 最后的审判

从但丁的《地狱篇》中汲取灵感，是圣经的传统题材，主题是人生的终极信仰的因果报应问题，人在上帝面前将为自己的行为获得褒奖升天或付出代价入地，如中国俗语说"善有善报，恶有恶报"。这幅气势磅礴的壁画通过对人体语言的表现手法，体现了米开朗基罗的人文主义思想。其内容是耶稣被钉死在十字架上后复活，在天地交界宝座上审判凡人灵魂。用数学的眼睛看，画面自上而下划分成了几个集合区域：天堂、审判区、过渡区和地狱。集合与集合之间的元素是可以移动的，移动方向和元素本身的性质有关。而移动的条件就是由中间的那位耶稣裁决。在画面最上端，即靠近天顶两个拱形内，不带翅膀的天使分别围住耶稣的刑具：十字架和耻辱柱。下面占中心地位的是神态威严的耶稣形象，他正高举右臂进行审判。在他右侧是圣母马利亚。耶稣的周围是他的使徒门徒们。在耶稣左下侧，有一位老人正手提一张人皮，这张人皮的脸就是米开朗基罗自己扭曲了的脸形。据说这是米开朗基罗

有意添上去的。用这种方式，把自己也摆到了被审判的位置，米开朗基罗想说明，在神面前，灵魂是赤裸裸的。全部人物的裸体也反映了这一思想。在耶稣两边还有许多历史与神话人物。在过渡区，根据自己生前的作为，有人在下降，有人正在上升。中央下部，有一群吹着号角的天使，召唤所有的灵魂前来受审。画中有四百多人，米开朗基罗通过上大下小，解决了观众仰视时画面里人物的比例难题。在 1541 年该画揭幕时，这幅巨作引起了轰动。

著名的《创造亚当》（*The Creation of Adam*，1510 年）是《创世记》天顶画靠中间的一幅。这幅画分成两部分，一部分是半躺在大地上的体格青春健美、懵懂而又好奇的亚当，另一部分是飞在天上腋下夹着夏娃坚定而又慈祥的上帝，上帝由群天使簇拥在一个小环境里，隐喻着天堂。大地和天堂这两个空间通过亚当和上帝穿出各自空间在空中似触非触的手指的连接，而人类就在这神圣的一瞬间之神秘的一碰中获得灵魂而诞生，这个碰触点就是时空

图 2-13 创造亚当

的坐标原点。这一触也触发我们的无限的敬畏感。这幅画还隐含着第二个触点，这就是亚当和夏娃的眼神交流。这幅画画出了人和神两个层次上的创造，寓意深刻。画面神和人的姿态极为相似，好像是互为斜面的镜像，暗示着上帝是以自己的形象创造人的。这样的构图如同数学中神和人互为反函数，大地和天堂互为反空间。

拉斐尔的时空转换

文艺复兴时期时的三杰还有一位就是拉斐尔。这三个在艺术上高不可仰的伟人出生在几乎同一地区，同一时代，堪称历史奇观。

拉斐尔·圣齐奥（Raffaello Sanzio，1483—1520 年）意大利画家、建筑师。在短短的 37 年生涯里，他给世人留下了三百多幅珍贵的艺术作品，这些伟大的作品奠定了他艺术大师的地位。因为这三杰同居一城，拉斐尔又比达·芬奇年轻许多，得到过达·芬奇的照顾，所以他又有达·芬奇学生之说。可惜天妒英才，拉斐尔因一场疾病过早结束了他灿烂的人生，让人唏嘘不已。这也使人感叹如此年轻又如此成就，是不是从别的时空穿越过来的？

这种穿越感在拉斐尔的作品里不时显露。他最有名的作品是圣母系列。相比于写实的达·芬奇笔下的圣母之隐忍和坚强，他笔下的圣母超凡脱俗、温柔秀美、华贵贤惠，其环境更像是在天堂，充满着安宁、恬静、和谐和完美。显示了画家所向往的人文主义的理想之最高境界，从而使他的作品实现了一种超越。

我们来看他的《草地上的圣母》（*The Madonna of the Meadow*，1505 年），现藏于奥地利维也纳的艺术史博物馆（Kunsthistorisches Museum Wien）。

图 2-14 草地上的圣母

可以看出这幅作品受到达·芬奇《岩间圣母》的影响，画面同样具有三角形结构，三角形由三个人物组成，圣母、耶稣与圣约翰。与《岩间圣母》恶劣峥嵘的环境不同，这里的温暖、柔和、安详和宁静，让人心旷神怡。这时，三角形不必担当保护的作用，而更多地表现出一种慈爱。与《岩间圣母》一样，耶稣仍然在三角形重心的位置，由圣母双手环护。圣约翰仍然在三角形的一个顶点，另一个顶点则由圣母的脚支撑。耶稣和圣约翰手里似乎在交换的十字架，暗示着耶稣将担负大任以及两个孩子后来的故事。整个画面黄金分割之处那柔美纯净的山水构成的远景很虚幻，像天堂，近景的实地是现实世界。天堂和现实世界由草地相连，人物在天地之间被烘托得极为神圣。

再看《嘉拉提亚的凯旋》（*Triumph of Galatea*，1511 年）。

图 2-15 嘉拉提亚的凯旋

这幅画气势磅礴，色彩鲜艳，题材来自希腊神话。画面表现了在天使引导下驾着由海豚牵引的巨大螺舟乘风破浪的嘉拉提亚女神。在水中成双成对的人鱼水神簇拥着她，或舞蹈，或吹号，或行舟；而在天空中飞翔着的是拉满弓对准嘉拉提亚的爱神。所有的神话人物姿态神情各异，明亮动感，立体感十足。在清澈的海浪和白云烘托下，女神唯美的身体和昂扬的姿态，加上被风鼓起的红披风和水神的黄纱巾像是一面面猎猎作响的战旗，紧扣着画题"凯旋"。

拉斐尔娴熟地应用数学中的几何框架，将画面分成了上下两部分。上面的拉弓天使形成一个明显的三角形，但如果把刚露头的那个小天使也算上，就是一个极富变换的暗菱形。下面的人物构成两个正反对置的三角形，构成了具隐晦宗教含义的六角星。使得此画在结构上表现出了完美的平衡与和谐。加上色彩明暗的对比鲜明，情感饱满，感染力极强。

拉斐尔另一幅传世之作是壁画《雅典学院》（*The School of Athens*，1510—

图 2-16

1511 年）。这幅画更体现了拉斐尔崇尚的希腊精神，追求自由意志的人文主义理想。这是拉斐尔以古希腊哲学家柏拉图所建的雅典学院为题，以古代七种自由艺术——即语法、修辞、逻辑、数学、几何、音乐、天文为基础，以表现人类对智慧和真理的追求。这幅画现展于梵蒂冈博物馆（Musei Vaticani）的拉斐尔厅。

图 2-17 雅典学院

　　全画以纵深展开的高大建筑拱门为背景，大厅上汇集着不同时代、地域和学派的各著名学者。他们在自由地讨论，好像在举行盛典，通幅洋溢着百家争鸣的气氛，凝聚着人类智慧的精华。这座大厅是以圣彼得大教堂为范本的，两侧的壁龛里，分别供立着智慧女神雅典娜和光明之神阿波罗，这显然又受到米开朗基罗的影响。中心透视点的层层拱门，直通遥远的天际。拱门和地下的方块装饰暗示着哥白尼之前人们对自然天圆地方的认识，从而形成一个极其神圣的氛围。画里的学者们被对称、自然而富有韵律感地配置在台阶两侧，中心是两位伟大的哲学家——柏拉图（Plato，　前 427—

前 347 年）与亚里士多德（Aristotélēs，前 384—前 322 年），他们似乎正在进行着激烈的辩论，并正向观众走来。亚里士多德右手掌向下，反映着他的唯物世界观而关注着现实世界；而柏拉图则右手指向上，表示了他的唯心世界观而感念神灵启示。这两个相反的手势，表达了他们哲学思想的对立。画中央的台阶上，躺着一个不修边幅的孤寂的犬儒学派哲学家第欧根尼（Diogenēs o Sinopeus，前 412—前 324 年），有点像我国古代的济公，这个人物起到了承上启下，左联右接的作用。台阶下面的左侧，以坐在地上专注地书写着的数学家毕达哥拉斯为中心，边上站立的白衣女子是最早有记载后来却为维护理想而惨死的女数学家希帕蒂娅（Hypatía，370—415 年）。台阶下右侧一组，中心人物是弯腰俯背、手执圆规在黑板上演算的几何学家欧几里得（也有说是数学力学家阿基米德），周围是四个学生。旁边那个手持天文仪的是埃及天文学家托勒密（Κλαύδιος Πτολεμαῖο，90—168 年）。

在托勒密的最边上那个露出半个脑袋、头戴深色圆帽的青年，就是画家拉斐尔本人——以这种方式实现穿越。把自己偷偷画进历史题材，又只占一只小角，反映了画家自负而又谦卑的心态。对赏画者来说，这种穿越使得画作的时代感更加绵长。

公元前 3 世纪，欧几里得的《几何原本》在古希腊问世，那时数和形是分开的。对于画家来说研究形的几何他们感到很有兴趣。然而将抽象的几何赋予生命，在画布上展现内涵的还是从文艺复兴开始，画家开始使用数学去探索和谐比例，先驱是达·芬奇。数学和艺术的联系在形式美这一方面。形式美研究比例、和谐、均衡、对称等方面，刚好这些视角就是数学最深的主题。如从对称引申的均衡则是现在博弈论的主题，由基本几何形状演变成了今天的新分支分形数学。透视和画面几何分布，达·芬奇已有很多研究心得。拉斐尔无疑是个好学生，而且青出于蓝胜于蓝。对比达·芬奇的《最后的晚餐》（图 2-10），这幅画将透视技巧运化到了极致，从后窗望出去，那云空延伸到了无穷。而房间的构图里圆弧拱、柱体、方块等基本几何元素形成了画的基本框架，在这个框架下形成的舞台上，和谐优美地闪烁着人类思想的光芒。这比起达·芬奇所创造的舞台更加宏伟，更具纵深感，也就有了更强的表现力。我们看到拉斐尔将代表数和形的毕达哥拉斯和欧几里得（阿基米德）分占前排的左右两侧，在整个画面中起到基石的作用，反映了数学在作者心中的地位，而柏拉图对数学也相当有造诣，考虑到这点，数学在整个画面上又形成了一个稳定坚强的三角形。

丢勒的数字幻方

文艺复兴时期，除了达·芬奇、米开朗基罗和拉斐尔这三杰，在欧洲北部也有一位杰出的艺术家对几何画法、数字幻方和测绘数学做出了重大贡献，他就是丢勒。

阿尔布雷特·丢勒（Albrecht Dürer，1471—1528年），是德国油画家、版画家、雕塑家、艺术理论家和建筑学家。北部文艺复兴的代表人物，作品包括木刻版画、铜版画、油画以及素描作品。他也是数学家和工程师，身兼数学家的艺术家寥若晨星，而丢勒就是其一。

丢勒是一名金匠的十几个孩子之一。丢勒少时学手艺，师傅恰巧是一位艺术家。丢勒边工作边学习绘画、雕刻、印刷和木刻，这影响了他艺术和数学生涯。丢勒的一生除了两次去意大利和荷兰旅行外，大都在德国的纽伦堡生活。现在纽伦堡有一个城堡是他的博物馆叫丢勒馆（Albrecht Dürer's House），在那栋城堡里他度过了最后的时光。

丢勒将他对人体比例的研究写进了他的书《人体比例四书》（*Four Books on Human Proportion*）里。在这四本书里用了

几百个模型对男人和女人身体各个部分的比例进行了深入研究。下面就是他的一些成果：

丢勒在数学上的贡献主要收集在他的

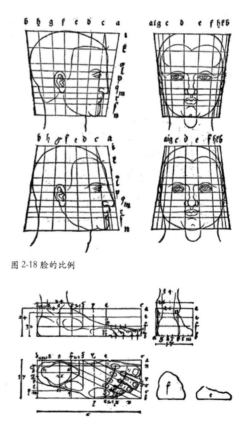

图 2-18 脸的比例

图 2-19 脚的比例

另外四本书里《测度四书》（*Four Books on Measurement*）。他分别研究了线性几何、高维几何、射影几何等各种几何体及其在建筑学、工程学和活版印刷中的应用。他应用欧几里得和托密勒的方法游刃有余，成果卓著。当然他研究数学是为了艺术，但不妨碍他在数学上的成就。他在多面体平面展开、圆锥曲线方面有自己的独到见解，他还发明出一些有助于艺术家们采用透视画法的机械工具。他的数学研究对他的艺术和其他创作的帮助是巨大的。提出图形描绘的概念可以说是丢勒的一项功劳。他说明了罗马字母的几何结构。他为哥特体字母设计出了自己的数学方法，他甚至还提出了 0–1 率，来代表图像元素的缩略语。我们知道这后来成为计算机监视器上比特的视觉二进制表示的像素，是计算机所能拥有的最小信息单位。

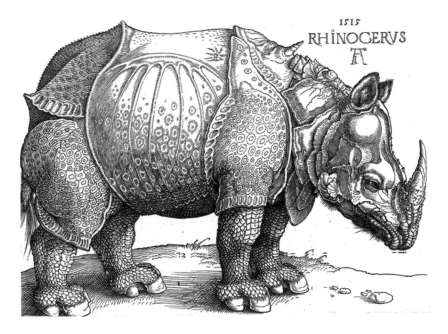

图 2-20 犀牛

丢勒对比例的研究出神入化，一个实证就是他的木刻画《犀牛》（*Rhinoceros*，1515 年）。丢勒画这幅画时并没有见过实体犀牛，他仅凭着一幅由不知名画家所画的印度犀牛的素描，以及他对解剖学的理解和比例的研究，将这头犀牛画了出来，居然与实体犀牛八九不离十。需要指出的是，画中犀牛的构造并不完全正确，尤其是脖背上那个小尖角，真的犀牛是没有的。但丢勒的版画却风靡欧洲，被大量拷贝，相当一段时间竟让人们相信，这幅画就是犀牛的真正模样，真犀牛的脖背上就是有这么一个小尖角。有人曾说："没有动物图画像丢勒的《犀牛》般对于艺术的影响这么深厚。" 今天我们可以用数学的方法进行建模，根据弹性力学的原理和生存最优化选择，估计出四足动物的身长体重比例。但并不掌握这些现代数学工具的丢勒对这头从未见过的大型四足动物的刻画是令人惊叹的。

丢勒留下了大量的版画作品，工艺精湛，人物生动，层次分明，细腻动人。由于版画木刻多半是黑白的，透视效果无法借助色彩，而丢勒对透视的精准应用显示了他深厚的理论基础和艺术功底。其中最有名的代表作是下面同在 1514 年创作的《梅伦可利亚 I》（*Melencolia I*，下简称另一译名《忧郁》）和《书房里的圣哲罗姆》（*St Jerome in his Study*，下简称《书房》）。前者被后人称为其精神和理性的自画像。

图 2-21 忧郁

图 2-22 幻方

古希腊医学之父希波克拉底（Hippocrates of Cos II，约前 460—前 377 年）认为人有黏液质、多血质、胆汁质、忧郁质四种气质。忧郁质的代表元素是土，星宿象征是大地之神的女儿，动物象征是狗。那时人们认为忧郁质为艺术家、哲学家和神学家所特有的气质。在丢勒《忧郁》中，象征大地之神的女儿的梅伦可利亚是个有两只翅膀的支颐而坐的恬静少女，表情忧郁深沉，边上还有一个同样忧郁，

捧着一个小框的小天使。她边上睡眠的狗狗就是其动物象征。她周围的东西也极富象征意义。左上远处是灯塔和彩虹，照亮画题 Melencolia I，与其本身忧郁的主题形成强烈对比。多面体球体圆规尺子代表几何学、刀锯刨锤代表工程学、船锚指南针代表航海学、天平沙漏钟代表科学。而最有意思的是少女头顶上代表数学的 4×4 幻方。幻方上的数字横竖加起来都是 34，这是著名的斐波那契数列中的数字。而且对角线上元素的平方和 748 或立方和 9248 等于非对角线上的元素平方和或立方和。幻方最下面一行中间的两个数字 15、14 正是这幅画创作的年代 1514 年，时年丢勒正好 43 岁，是 34 的镜像。这种直接将数学研究成果放在艺术品里真是神来之笔。在神话传说中，几何、工程和科学都是由大地之神掌控的，而这个内秀外忧的少女就是思想家、科学家和艺术家的化身。这个化身手中握着的正是象征几何的圆规！可见作者心目中几何的地位。

图 2-23 书房

　　《书房》是丢勒的另一幅名版画。圣哲罗姆（Eusebius Hieronymus，347—420 年）是最有教养，最有学问的古代教父之一，也可说是古代西方教会中最伟大的学者。哲罗姆有志博览宗教丛书，踏遍天下名胜，力鉴读书行路的理念，并到处修行传教，翻译圣经。晚年定居于耶稣的出生地，过苦修隐居的生活。后罗马教会授予博士头衔，并且封他为圣徒。如果说丢勒在《忧郁》中选择了一位传说中的神仙少女来唱主角，那么在《书房》里他则让一位德高望重，博学智慧的神学老者担当主纲。和《忧郁》阴冷低沉的格调相对应，《书房》的整个氛围是温暖昂扬的。《忧郁》里那些杂乱无章的象征物品，到了《书房》里都井然有序地摆放。阳光透过窗户把书房照得色彩斑斓，形成一个像是排列有序的电子图，而且整齐中透着活泼。《书房》把观众拉到了室内，并且巧妙而精准地应用了当时最先进的透视技术，在很难应用色差的版画上将房屋的纵深感表现得如此逼真，可见丢勒将射影几何研究到家

了。哲罗姆坐在书房深处的书桌旁孜孜写作，脑袋被光照得发亮，隐喻着智慧的光芒，头顶上方挂在墙上的帽子和灯具暗示着他踏山游水的丰富经历。桌角上的十字架和窗沿上的书，表明了教父和学者的身份。窗前还有一个头骨，加上旁边的书籍和墙上挂摆着的文具瓶罐等物品，显示了他的博学。《忧郁》中的狗狗继续睡觉，边上还多了一头醒狮。传说哲罗姆曾为狮子拔去爪子上的荆棘而成为狮子的朋友。所以几乎在所有圣哲罗姆的画中都有狮子。地上随意散落着一个小框，我们猜和《忧郁》中小天使手中的框是一样的。在框上我们再次看到了 1514 这个数字，下面的符号是 A.D. 的变形，正是丢勒签名的缩写。如果说《忧郁》刻画的是人们的精神世界，那么《书房》就是描写人们的理性追求。

　　对绘画细节一丝不苟的精确表现是丢勒作品的风格特点，这两幅画被后人誉为最优美的铜版画作，而画中反映出的人文科学精神和理性正是文艺复兴的精髓。

文艺复兴中的科学家

在文艺复兴中除了前面提到的举大旗的哥白尼，在后期还有一位影响深远的科学家是必须要提的，他就是伽利略。

伽利略·伽利雷（Galileo Galilei，1564—1642年）。意大利数学家、物理学家、天文学家，实验科学的先驱。他融会贯通了数学、物理学和天文学三门学科，建立了实验的科学方法。他利用望远镜观察天体，并取得大量成果，他通过实验总结出自由落体定律、惯性定律和伽利略相对性原理等，从而奠定了经典力学的基础。他有力地支持了哥白尼的日心学说。他以系统的实验和观察推翻了传统的纯属思辨的自然观，开创了以实验事实为根据并具有严密逻辑体系的近代科学。因此被誉为"现代科学之父"。其工作为牛顿的理论体系奠定了基础。他反对陈规旧俗，受到教会迫害，是位维护真理，不屈不挠的战士。由于他在1632年发表了《关于两种世界体系对话》，支持和发展哥白尼学说，后被罗马教廷判处终身监禁。1992年，伽利略蒙冤360年后获得了梵蒂冈教皇的平反。

恩格斯称他是"不管有何障碍，都能不顾一切而打破旧说，创立新说的巨人之一"。

当艺术家们把他们塑造的艺术形象从上帝转向人类时，这些为人类发展做出重要贡献的科学家也成了他们创造的源泉。著名的乌菲齐美术馆里就陈列着伽利略的雕像。雕像目光深沉远眺，左手握着望远镜，右手略微抬起，似乎在辅助思考，脚下有个地球仪。这尊雕塑传神地塑造了一位科学家的形象。艺术家班齐（Cristiano Banti）也创造了一幅油画《伽利略面对罗马宗教审判所》（*Galileo facing the Roman Inquisit*，1857年），艺术地再现了伽利略抗辩宗教审判的瞬间。画中伽利略占据了画面的三分之一，他昂首挺立，气宇轩昂，坚定无畏。相比之下，右边人数较多的三人审判席却很猥琐，像是被审判。中间一位宗教人士似乎在指责，右边一位在沉思，左边一位低头不语。他们的气势完全被伽利略压倒。我们可以感受到审判时的唇枪舌剑以及伽利略的大义凛然。

伽利略深信自然之书是用数学语言写

图 2-24　伽利略面对罗马宗教审判所

的，只有能归结为数量特征的形状、大小和速度才是物体的客观性质。

　　在数学和艺术众星的灿烂照耀和闪烁下，文艺复兴后，西方文明掀开了新的一页。

To see a world in a grain of sand
And a heaven in a wild flower
Hold infinity in the palm of your hand
And eternity in an hour
——William Blake

一花一世界
一沙一天国
君掌盛无边
刹那含永劫
——威廉·布莱克（宗白华译）

第 *3* 章
工业革命新塑绘画印象

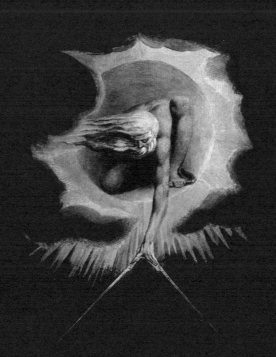

工业革命（The Industrial Revolution）开始于十七世纪或更早的英格兰中部地区。它是指以机器取代人力，以大规模工厂化生产取代个体工场手工生产的一场生产与科技革命。其象征是 18 世纪詹姆士·瓦特的蒸汽机。

图 3-1 詹姆士·艾克福德·兰德 (James Eckford Lauder) 1855 年的画作：《詹姆士·瓦特和他的蒸汽机：19 世纪的黎明》
(*James Watt and the Steam Engine: the Dawn of the Nineteenth Century*)

詹姆士·瓦特（James von Breda Watt，1736—1819 年）1776 年制造出第一台有实用价值的蒸汽机。以后又经过一系列重大改进，使之成为"万能的原动机"，在工业上得到广泛应用。他开辟了人类利用能源新时代，使人类进入"蒸汽时代"。后人为了纪念这位伟大的发明家，把功率的单位定为"瓦特"。

蒸汽机，加之煤、铁和钢走入人们的生活后，技术革命引发了生产力大解放，并带领了社会的巨大变革。它成为资本主义工业化的早期历程，完成了资本主义生产从工场手工业向机器大工业的过渡。其原因是科学的发展壮大，其标志是机器的发明运用。在数学界，这段时间经历了第二次数学危机，从微积分的诞生到关于"无穷小"的争论，最后促进了微积分的完善。还有非欧几何的崛起、随机问题对传统的挑战等等，都让人们的眼光从具象转向抽象。

这段时间，数学创造的理性神话一度渗透所有的文化领域，有点走火入魔甚至到了"言必称数学，事必求证明"的地步，例如有人试图用数学的方式去衡量快乐和痛苦。其正面的作用是理性主义摆脱了宗教，实事求是让大道理从天国回归到了人间。同时，由于工业革命带来的一系列的社会新问题，无法用先验和演绎的方法来解决，于是事实数据被人重视，统计的方法也就有了发展天地。再次证实了数学与文化的作用是相互的。

工业革命以后，许多人力的工作逐渐由机器代替。面对工业革命带来的科学技术应用，绘画面临着前所未有的考验，大部分作为高级技师的画家的地位受到了严酷的挑战。特别是 19 世纪初照相机的问世让一大批画匠丢掉了饭碗。这时再要追求"画"如何"像"实体已经走到了尽头。因为再怎么"像"也像不过咔嚓一下就成像的照相技术。于是有人哀叹：绘画完了。然而，正如长江后浪推前浪，在旧理念走向没落并淡出历史舞台的同时，新思想如凤凰涅磐，喷薄而出，闪亮登台，展现了其蓬勃的生命力。这时全新的摄影艺术因此诞生，而绘画的理念也发生了翻天覆地的变革。艺术家们在方寸画布上，左冲右突，寻找出路。这段时间西方各种流派快闪频出，画样翻新。有的昙花一现，有的传承下来，也有的在艺术史上留下了浓墨重彩。在这些探索中，最为后人称道的是 19 世纪末到 20 世纪初鼎盛于法国，传播到全球，影响了几个时代的印象派（Impressionism）。

印象派的特征就是从画面的精雕细刻中走出来，通过颜色、光线等元素刻画对象外在的形态、内在韵味和观画者的主观感觉。当然在印象派前，艺术家们已经有了很多探索，我们先来领略一下题头的诗人威廉·布莱克的哲学神启艺术。

布莱克的诗幻神曲

威 廉 · 布 莱 克（William Blake，1757—1827 年），英国浪漫主义诗人、版画家。主要诗作有诗集《纯真之歌》《经验之歌》等。他的作品玄妙深沉，想象梦幻，充满神奇色彩。他出生于一个普通小商人家，没有受过正规教育。他一生坎坷贫困，与妻子相依为命，用绘画和雕版的微薄酬劳过着简单的创作生活，他的超前、神秘和深刻在生前一直没有受到社会热捧。直到他 70 岁去世前，还在用最后的先令买来炭笔为但丁的《神曲》插画。他身后诗人叶芝等人重编了他的诗集，才让他的伟大感世。后来他的神启式的伟大画作也逐渐发光，这样，作为诗人与画家的两栖艺术家布莱克才确立了在艺术界的崇高地位。关于布莱克宗教的虔诚，民主的思想和想象的魅力有很多研究，我们这里这谈谈他作品中或许自己都没意识到的数学光彩。今天重读他的诗，欣赏他的画，可以发现这位先知对数学也有深刻的感悟。

题头的诗，他把无穷大和无穷小的辩证关系诗化得那么美。对于这首诗，几乎每个学英语的学子读到它都跃跃欲译，最早由周作人于 1919 年首译后出现过多个译本，而宗白华的这个译本禅味十足。

在布莱克的年代，工业革命已经深刻地影响了社会，牛顿和莱布尼兹已经发明了微积分，但无穷大无穷小还在学者们的论文里争论着。相信布莱克并没有读过这

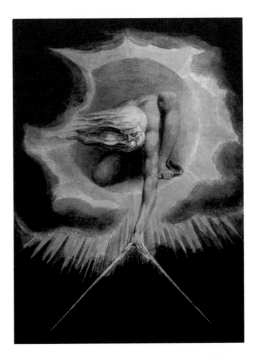

图 3-2 古代的日子

些论文，尽管当时的思潮会影响到他。然而他具有超人的直觉和极强的感悟，用他自己的方式阐述了这些玄妙的概念。

《古代的日子》（*The Ancient of Days*，1794 年）是布莱克《欧洲预言》（*Europe a Prophecy*）的卷首插画，画的是尤瑞真（Urizen），这位法律和规则的化身在天上用圆规掌控着地球。画面强烈地暗示数学就是大自然的法则。

我们来欣赏布莱克的一首诗《苍蝇》：

Little Fly，　小苍蝇，
Thy summer's play，你夏天的游戏。
My thoughtless hand，给我的手。
Has brushed away，无心地抹去。

Am not I，我岂不像你，
A fly like thee？是一只苍蝇？
Or are not thou，你岂不像我。
A man like me？　是一个人？

For I dance，因为我跳舞，
And drink, and sing，又饮又唱，

Till some blind hand，直到一只盲手。
Shall brush my wing. 抹掉我的翅膀。

If thought is life，如果思想是生命。
And strength and breath，呼吸和力量，
And the want，思想的缺乏，
Of thought is death。便等于死亡。

Then am I，那么我就是，
A happy fly，一只快活的苍蝇，
If I live，无论是死，
Or if I die. 无论是生。

（梁宗岱 译）

这首诗用一种上帝的眼光平等地看待着每一种生物，无论大小，无论生死，令人动容。诗也强调了生命之力量在于思想。从数学的角度上讲，他诠释了生与死的两种状态之间的转换就在于被数学称为转换函数上帝之手。对于生死这种哲学思考在他的画中也有深刻的描述。

图 3-3 雅各布之梦

三维圆锥螺旋线，整个画面充满数学元素。

　　我们再来欣赏布莱克的另一首诗《老虎》：

> Tyger, tyger, burning bright
>
> 老虎！老虎！黑夜的森林中
>
> In the forests of the night,
>
> 燃烧着的煌煌的火光，
>
> What immortal hand or eye
>
> 是怎样的神手或天眼
>
> Could frame thy fearful symmetry？
>
> 造出了你这样的威武堂堂？
>
> In what distant deeps or skies
>
> 你炯炯的两眼中的火
>
> Burnt the fire of thine eyes？
>
> 燃烧在多远的天空或深渊？
>
> On what wings dare he aspire？
>
> 他乘着怎样的翅膀搏击？
>
> What the hand dare seize the fire？
>
> 用怎样的手夺来火焰？
>
> And what shoulder and what art

　　《雅各布之梦》（*Jacob's Dream*，1805 年）也叫《雅各布天梯》（*Jacob's Ladder*）。 布莱特的弟弟罗伯特死的时候，悲痛的布莱克看见他弟弟的灵魂穿过屋顶冉冉上升，"欢乐地拍着手"。他得到灵感将《圣经·旧约》里雅各布做梦登天梯的故事画出来。不同于其他许多天梯是直上直下的，布莱特的天梯是意味深长地螺旋上升的，形成一个

又是怎样的膂力，怎样的技巧，

Could twist the sinews of thy heart？

把你的心脏的筋肉捏成？

And, when thy heart began to beat,

当你的心脏开始搏动时，

What dread hand and what dread feet？

使用怎样猛的手腕和脚胫？

What the hammer？　what the chain？

是怎样的槌？怎样的链子？

In what furnace was thy brain？

在怎样的熔炉中炼成你的脑筋？

What the anvil？　what dread grasp

是怎样的铁砧？

Dare its deadly terrors clasp？

怎样的铁臂

When the stars threw down their spears,

群星投下了他们的投枪。

And watered heaven with their tears,

用它们的眼泪润湿了穹苍，

Did He smile His work to see？

他是否微笑着欣赏他的作品？

Did He who made the lamb make thee？

他创造了你，也创造了羔羊？

Tyger, tyger, burning bright

老虎！老虎！黑夜的森林中

In the forests of the night,

燃烧着的煌煌的火光，

What immortal hand or eye

是怎样的神手或天眼

Dare frame thy fearful symmetry？

造出了你这样的威武堂堂？

（郭沫若译）

老虎在这首诗里显然是有象征的。学界对此有不同的解读。我们的理解是指大自然的规律。那个关键词"symmetry"，原意对称，郭沫若译成了"威武堂堂"。这个译法保持了原诗中那种对老虎的敬畏，却丢失了原意中的寓理。对称是个数学名词，表示世间物体对应、相关的本性。所以这首诗我们理解成是对强大而美丽的大自然规律的一种敬畏。从诗后面反反复复地追问中，我们可以感受到一种类似屈原的"天问"。回想布莱克的时代，科学的强劲发展，势不可挡，布莱克的感慨就可以理解了。这种规律控领的思想一直在他那个时代占统治地位，以至于后来爱因斯坦都不相信上帝会扔骰子。这样的表述在他的画作中也可以感到。

图 3-4 牛顿

布莱克画的《牛顿》（*Newton*，1795年）中的大数学家、物理学家像是赤诚的自然之子，正全神贯注地盯着手中的圆规，思考着自己的数学问题。联系到前画中的

尤瑞真，以及早年丢勒画的《忧郁》里梅伦可利亚手中的圆规，之间的深刻含意不言而喻。

图 3-5 伟大的红龙和身披太阳的女人

《伟大的红龙和身披太阳的女人》（*The Great Red Dragon and the Woman Clothed with Sun*，1805 年）里红龙和女人都成为达·芬奇人体圆的形状。《启示录》第十二章第一节："天上现出种种异象：一妇人披日

踏月，头戴十二星冠，正在分娩的痛苦中呼喊；一头红色巨龙，七头戴七冠长十角，尾拖三分之一星辰，在妇人前欲吞吃那将娩出的婴孩。妇人生下一男婴，立即被提到上帝宝座那里，将来他用铁杖辖管万国。妇人按上帝指引逃到旷野，她可以在那儿生存1260天。启示将出现新的天地。"

图 3-6 仙女舞蹈

《仙女舞蹈》（*Oberon, Titania and Puck with Fairies Dancing*，1786 年）是布莱克另一幅数学味十足的画，画面左边三维仙人是奥贝隆、泰坦尼娅和朋克，右边一群仙女拉手绕环欢舞，整个画面有动有静，波浪跌宕，生动有趣。后面我们会看到这种动感又是如何被后人抽象的。

莫奈的光影印象

印象派的名称来源于莫奈 1874 年一个另类画展中受到嘲讽的一幅画作《印象·日出》（*Impression，soleil levant*）。这幅画描绘的是塞纳河港口的清晨，太阳刚刚升起的时候。画家在很短的瞬间将早晨的美景在光线还没有变化前完成作品。学院派的老古董们认为这幅画很粗糙、太随便，并嘲笑这幅画是画家脑袋进水时在画面上泼了糨糊，或者完全就是凭印象胡乱涂出来的，其他人也附和说，这类画家统统都是"印象主义"。没想到，

图 3-7 印象·日出

这些酸溜溜挖苦的话,反而成全并造就了"印象派"。后来这个称号也成了这个充满生命力的画派的象征。莫奈也就成了这印象派最主要的先驱和代表人物。

在这幅画中,除了三艘轮廓依次递辨的小船,海港和岸边的细节不再清晰,给人一个整体模糊的感觉,好像是睡眼惺忪中看出去的清晨港口的朦胧景象,唯一那

图 3-8 莫奈自画像

轮红红的在画面黄金分割位置上的朝阳及其在水面的光影点醒了画面,让观众真切切地分享那种早起推窗、呼吸晨曦、沐浴朝霞、身临其境的感觉。

克劳德·莫奈(Claude Monet,1840—1920 年),法国画家,印象派代表人物和创始人之一。莫奈长期探索光色与空气的感觉效果,特别擅长光与影的表现技法。他对于色彩的把握和运用相当细腻,他用许多相同主题作画来实验色彩与光的表达方式。他认为色彩的变化是随着观察位置,受光状态和环境的不同而发生变化,也受到主观情绪的影响。他常常在变换的条件下,对同一对象作多次描绘,从自然光色千变万化中捕捉感觉。这时,对象的细节已不再重要,而画家通过对象并不清晰的姿态和其微妙细腻的光线变幻表现了更为丰富的情感内涵和层次,从而使其作品有了更强烈地感染力。他的自画像中也给人很深的印象,沉浸在冷峻色彩中的眼睛一点不含糊,很犀利,特别传神,好似可以看透一切。然而晚年的他近乎失明,却仍可以凭印象作画。

在处理模糊印象方面，艺术走到了数学的前面。数学一直是以处理精准清晰而著称。在印象派横行的年代，画面"印象"了，但数学家们还不知对生活中大量的模糊概念如何处理，还在和准确较劲。直到一个世纪后，在实际中处理大量界限不分明的模糊信息的迫切需求中，模糊集合、模糊逻辑的理论发展起来，随后延伸到模糊拓扑、模糊测度论、模糊代数学、模糊分析学、模糊群、模糊图论、模糊概率统计等数学领域。1965 年美国控制论学者罗特法利·阿斯卡·扎德（Lotfali Askar Zadeh，1921—）在《信息与控制》杂志上发表论文"模糊集合"，标志着模糊数学这门新学科的诞生。很快，对模糊性概念有了模糊集的描述方式，人们可以用模糊数学来识别、判断、评价、推理、预测、决策和控制的模糊过程。这样它在模糊信息处理、模式识别、人工智能等方面有了广泛的应用。使得数学在各个领域大大地扩大了应用范围，发挥着非常重要的作用，取得巨大的成果。当然模糊数学与印象派不同的

是，前者仍然是客观的。

我们来欣赏莫奈的画作《持阳伞的妇人》（*Woman with a Parasol*，1886 年）。画中的妇人脸部藏在伞中轮廓模糊，但整个画面色彩的基调明亮，红黄绿色中洋溢着青春的气息，使我们联想感到画面人物的年轻美

图 3-9 持阳伞的妇人

丽；云的飘忽动感极强，加上草和头巾的舞动，使你有如阳光沐面，和风袭脸。画中天地不分，背光给人物镶上金边，视角由下而上，头巾和天空的颜色一致，伞裙和大地的颜色调和，让人觉得少妇和大自然融为一体，富有强劲的生命力。而整体青春的氛围给人物的美丽留下了无尽的想象空间，从而也将画的空间从方寸之域拓展延伸到一个观众与作者共同创造的空间。

印象派最成功之处是将画家的感觉融进了画布，它脱离了以往艺术形式对历史和宗教的依赖，摒弃了传统的创作观念和公式，将重点聚焦在纯粹的视觉感受上，而内容和主题变成了陪衬。印象派艺术家着重于描绘自然的刹那景象，使一瞬成为永恒，并将这种科学原理运用到绘画中。他们通过感觉映射，建立了一个和观众交流的情感桥梁。于是将作品从原来被动地反映客观世界提升到主动地抒发和宣泄作者的主观世界。画家试图在客观实体和主观意念之间找到了一个打上作者烙印的映射函数。用数学的话说，就是通过作者把古典空间映射推广到广义空

间，将现实物体与情绪感觉建立起了联系。印象派观察、直接感受表现色彩变化的奇妙的画风，对后来的现代艺术的影响非常深远。而且他们还特别喜欢针对一个主题用不同的色彩表现不同的情绪。绘画从实描走向抽象，中外的艺术家以不同的方式在这点上找到共识。例如郑板桥抽象的是竹的神韵，梵高抽象的是向日葵的情调，莫奈抽象的是睡莲的光感等。

图 3-10 圣拉扎尔火车站

莫奈的《圣拉扎尔火车站》（*Saint Lazare train station*，1877 年）是莫奈画作中时代感最强的画。工业革命后，机械化给人们生活带来方便，但也产生污染、噪音，并开始破坏自然美，这让传统的人们悲观

哀叹。然而真正的艺术家不完全同意，在他们的眼里，美存在于任何地方。摒除杂质，发现美只需要非凡穿透的眼睛和善于挖掘的画笔。工业也是美，只是美的形式不同了。这幅画直接让绘画历史上从来没有过的工业革命的特征——火车入画。画面的处理方式完全是"印象式"的，升腾的烟雾，模糊的远景，忙碌的身影，似透未透的穹顶以及跃跃欲发的火车，都把火车站的气氛刻画得生动喧闹，也暗喻着机械大时代的生机勃勃和未来的不明确。

图 3-11 干草垛

莫奈很喜欢画系列，《干草垛》（*Grainstacks*，1890—1891 年）就是这样的系列。上图是藏于法国卢浮宫（Musée du Louvre）的其中一幅。画面很简洁，远近的背景都很模糊，只有两个大小不一几何形状鲜明而颜色混沌的黄色草垛立于画中。对于这么简单的物体，画面好像没有表达什么，然而艺术家评论不那么说。法国作家奥克塔夫·米尔博（Octave Mirbeau）说："这就好像人的脸庞，我们可以看到和感受细微的变化，情绪、内心的激情、灵魂的震撼、内心的狂喜、忧郁、痛苦，人内心的一切。"画家康定斯基则认为可以从草垛获得某种启示。这种以简喻繁的方式让此系列记录了现代绘画发展的重要时刻。

莫奈最有名的系列作品是睡莲，他将同一池塘里的睡莲在不同时间，不同季节，不同光照的不同姿态以作者不同的感觉画出，展现了睡莲的各个层次丰满的外形和内涵。他实际上完成了通过一系列的映射将睡莲按时间轴的变化通过二维画布上多加上一维离散的时间轴上表现出来，而每一幅画都是这个轴上某时刻的一个截面。由于莫奈对光和色特别敏感，他能发掘出人们往往忽略的一些瞬息即逝的感觉和情绪。不仅如此，莫奈找到的是睡莲的状态和人的情绪之间的映射，这使得他的睡莲能和其观众产生强烈共鸣。这种映射使得他笔下的色彩并不完全"忠实"地反映客观，而是更加迎合人的情绪。睡莲画好像是莫奈对印象派画的注解：真正的生活就像睡莲，而想象和感受就像池塘里的水，随着季节，天空的变化反射出绮丽幽幻的色彩。所以他的画惊艳而耐品，往往是各博物馆的"宠儿"，更使多年来他的粉丝一直汹涌澎湃。

　　我们来欣赏下面两幅莫奈的睡莲（*Water Lilies*）。前幅是 1916 年画的，梦幻而又空灵，深蓝池水疑如静谧的夜空，莲花点点若星灿，荷叶片片似云朵。烟雾般的紫色绿色是岸柳的映像，是水底下鬼魅的草影还是天上妖娆的晚风？后幅是1919 年画的，神秘而又多彩，水面明丽，霞光流动。荷叶似盈盈绿波，莲花如星星红火。整个画面还

抹上了一层金色的光膜。

　　你能感觉出这些画是什么季节，什么时候，能与你什么情绪共鸣呢？

图 3-12 睡莲（1916 年）

图 3-13 睡莲（1919 年）

马奈的虚实变换

有人说从没有参加过印象派画展的马奈才是印象派的鼻祖。对于我们这些非艺术史研究者来说，我们无意于卷入这些艺术外的是非纷争，是莫奈还是马奈，哪个奈是鼻祖并不重要，我们只想从数学的角度欣赏他们的艺术。

爱德华·马奈（Édouard Manet，1832—1883 年），出生于法国巴黎。他领潮绘画变革，将绘画从单纯追求立体空间的束缚中解放出来，影响了一代画风，并将绘画带上了现代主义的道路。他被公认为是印象派的奠基者之一。

马奈的成名作也是引起当时画坛巨大震荡的画作即他的早期作品《草地上的午餐》（Le

图 3-14 草地上的午餐

déjeuner sur l'herbe，1863 年）。

1863 年，法国的各种艺术新兴流派层出不穷，各露尖尖角。然而由法兰西美术院保守势力主持的官方艺术沙龙，冥顽不化，抱残守缺，拒绝了绝大部分意向参选的艺术作品，引起了被拒艺术家们的强烈不满。时任法国皇帝的拿破仑三世 (Napoléon III) 和稀泥地同意搞了一个落选者沙龙（Salon des Refusés），这个沙龙就扮演了对当时占主流的官方艺术的对抗面。印象派，也是在这次沙龙中崭露头角的。马奈把在巴黎沙龙拒展的画在落选者沙龙中展出，这幅画就在其中。此画一经展出，从内容到画技对传统的挑战，立刻引起了罕见的轰动。他直接表现尘世环境，把全裸的女子和衣冠楚楚的绅士画在一起，画中人举止大方，目光坦然，画法摆脱了传统绘画中精细的笔触，用对比强烈、黑白分明的色块，在较幽暗的森林里通过光线拉伸景色。此画在构图上，让人联想到早期达·芬奇的《岩间圣母》（图 2-9），人物构成一个稳定的古典式三角形。三角形的顶点推进到了一个有限的深度，由一个半裸弯腰的女子担当。然而人物的关系和《岩间圣母》却根本不同，《岩间圣母》通过三角形所表现的那种有主次的温暖保护在这里荡然无存，剩下的是三角形的另一类性质：简单、平等与和谐。有意思的是那个顶点，看起来很虚幻，像是数学中的虚数，马奈好像是通过三个顶点表现虚拟的理想世界和现实的两性世界。有人把此画斥责为道德乱伦，然而却被当时更多革新和探索者力挺。而时间也证明了其生命力，使其跻身于世界名画之列。后来有人把同样形态的人物搬换场景，到海边，到庭院，以寻求不同的效果。

差不多在马奈的同时代，数学中的复变函数得到了全面发展。复变函数论是数学中一个基本分支，起源于求代数方程的根，研究对象是复变数的函数。在代数方程求根中出现的负数的平方根在实数范围里是没有意义的，据说最早由意大利数学家卡尔丹诺（Gerolamo Cardano，1501—1576 年）使用，后被法国数学家笛卡尔（René Descartes，1596—1650 年）称之为虚数。它仍然困惑了数学家们好久，但承认其在更大的空间里存在，很多代数问题就迎刃而解了。再后来大数学家欧拉（Leonhard Euler，1707—1783 年）用 i 表示 $\sqrt{-1}$ ，即虚数单位，并用 $a+bi$ 表示复数，复数也就分成了实虚两部分。数学王子高斯总结了复数的应用，复数的系数对 (a, b) 和平面点的坐标形成了一一对应的关系。高斯还严格证明了每一个 n 阶的代数方程必有 n 个实数或者复数解。有了复常数，就有复变数，进一步也就有了复变函数。被称为最优美的"数学天骄"的欧拉公式 $e^{ix} = \cos x + i \sin x$.

就是复变函数关系式，它揭示了指数函数和三角函数之间的关系。有了这个关系式和复数与平面点的对应，复数的神秘面纱才完全揭开。另一个被誉为最美公式的是这个公式的特例，也叫欧拉公式：$e^{i\pi} + 1 = 0$. 将最基本的两个数 0、1，最著名的两个无理数 e、π 和虚数单位之间的关系联系起来。

约翰·卡尔·弗里德里希·高斯（Johann Carl Friedrich Gauss ，1777—1855 年）德国著名数学家、物理学家、天文学家、大地测量学家。是近代数学奠基者之一，被认为是历史上最重要的数学家之一，并享有"数学王子"之尊称。 他一生成就极为丰硕，以他名字"高斯"命名的成果达一百多个，是数学家中之最。他在数论、代数、统计、分析、微分几何、大地测量学、地球物理学、力学、静电学、天文学、矩阵理论和光学皆有建树。

到了 19 世纪，复变函数以其优美和谐取代微积分统治了抽象数学。为这门学科的发展作了重要工作的还有达朗贝尔（D'Alembert Jean Le Rond，1718—1783 年）、柯西（Augustin Louis Cauchy，1789—1857 年）、黎曼（Georg Friedrich Bernhard Riemann，1826—1866 年）和魏尔斯特拉斯（Karl Theodor Wilhelm Weierstraß，1815—1897 年）。以后复变函数的理论和应用上的发展更是方兴未艾，并深入到微分方程、积分方程、概率论和数论等学科。

我们再来欣赏马奈的一幅晚期作品《女神游乐厅的吧台》（*Un Bar aux Folies-Bergère*，1882 年）。马奈刻画了巴黎的著名剧院夜总会女神游乐厅的场景，这幅画从某种角度诠释了复变函数。

图 3-15 女神游乐厅的吧台

　　这幅画色彩艳丽，光线强烈。画面并没有太强的立体感，画家巧妙地通过一面镜子反射整个三维吧厅。画中一位酒吧女招待占据了正中的位置，当之无愧地成为画面的主体。而酒吧的所有热闹全由吧女前面的酒具和吧女背后的镜子侧映和反映出来。马奈则将自己的名字签在左下方的酒瓶标签上。一反古典画主体居黄金分割的位置，这位妙龄女郎很霸气地居中，甚至姿势都是对称的。为了避免由于对称带来的画面呆板，马奈巧妙地通过镜子画了吧女的背影和一个神秘的在吧台前并无踪影的男子而使得画面生动起来。吧女飘忽不定的目光，像是她在梦游另一个世界，我们注意到在黄金分割的位置是一朵插在酒杯上的玫瑰，是不是暗示着吧女脆弱的爱情？那个神秘男子是不是就是她的梦中情人？酒吧里其他人拥挤地反映在墙上的镜子里。我们似乎都能听到觥筹交错，人声鼎沸。厅中还有一个空中飞人为客人助兴。客人的喧闹衬托了吧女的超然。画家以一种不寻常的方式来描述醉生梦死。这里寻欢作乐的场面空间被画家用数学映像的方式虚幻到了镜子上，恰似复变函数的虚部。而镜子起到的另一个作用就是侧面地反映吧女的意象。实在的现实是吧台前具体的酒瓶、酒杯、水果和鲜花，就像是复变函数的实部。镜面的景象由于灯光反射使得人物恍惚不清，突现了印象派的特点，但吧台前的物品和吧女却描述得细致精确，以区分现实和幻象。但观众看到的和更想知道的是吧女的精神世界，关于这个，画家给观众留下了充分的暗示和足够的想象空间。

毕沙罗的时光风景

卡米耶·毕沙罗（Camille Pissarro，1830—1903 年）法国印象派大师。 在印象派诸位大师中，毕沙罗是唯一一个参加了印象派所有八次画展的画家。他不仅是印象派的先驱，也是其中流砥柱。但印象派并不是一夜风光的，当时一位极有影响的评论家说："那些自封为艺术家的人，拿起画布、颜料和笔，胡乱涂抹一番，就算完成了自己的大作。这群家伙爱慕虚荣近乎疯狂。应该让毕沙罗懂得，树不是紫色的，天空也不是新鲜的牛油色。在乡村里，我们找不到他画的那些。"在印象派艰难成长，备受打击时，他仍然不改初衷，努力让印象派发扬光大。他一生都在不断探索，不断吸收别人的技法、画法，尝试各种风格，最后融会贯通，凝聚成他独有的毕沙罗风格。正如他自己所希望的，终于在画面上表现了"纯净、简洁、敦厚、柔和、自由、自发性和新鲜感"。他最终活着看到印象派画家普遍获得成就，也看到有更多的新画派的兴起。在他去世前一年，远在塔希提岛的高更写道："他是我的老师。"

在他去世后 3 年，"现代绘画之父"塞尚在自己的展出作品目录中恭敬地签上"保罗·塞尚，毕沙罗的学生"。

在印象派之前，风景画已经流行，但那时画家们只是追求风景在画面上的再现。印象派则试图将人的感觉在风景里体现，风景则是一个绝好的对象。

作为对比，我们先来看一幅德国画家阿尔伯特·阿道夫（Albrecht Altdorfer，1480—1538 年）早期的风景画《靠近雷格斯堡的多瑙河风光》（*Danube Landscape near Regensburg*，1528 年）。画家着力刻画了和两岸的树木山石、远方隐约的城堡山峰、天上翻滚的云浪。所有的细节画家都不辞辛劳，而主题的河却被压到了不明显的画的底部，有人气的城堡更是被远山压得喘不过气来。让人印象深刻的倒是山峰后的那抹霞光。

我们再来欣赏毕沙罗的两部代表作：《在卢弗西艾恩的凡尔赛之路》（*Road to Versailles at Louveciennes*，1872 年）和《瓦赞村入口》（*The Entrance to the Village of*

图 3-16 靠近雷格斯堡的多瑙河风光

都有一辆外出的马车，而那些树叶都有泼墨感。然而由于季节和气候的不同，这两幅画传达给观众的感受完全不同，前者热烈、丰裕，是放开的感觉，后者冷艳、严峻，是收敛的感觉。画里的光线来源是通过树木、房屋和人物的影子来传达，恰似画家所要表示的情感也是通过这样一种借助环境的方式表达。其实像类似的风景和不同的时节，这样的乡村风光毕沙罗画了很多，就像莫奈的睡莲系列，他也有个乡村风景系列以映射不同的情感。

图 3-17 瓦赞村入口

Voisins，1869 年)。这两幅画是印象派风景画的代表作。这两幅画画的是法国乡村的景象，非常相像，都是村口、小路、路边的小屋和树、远方的教堂以及路上的马车和行人，都有阳光照耀。都应用透视，沿着小路延伸，在画面最重要的黄金位置，

图 3-18 在卢弗西艾恩的凡尔赛之路

雷诺阿的温暖涂刷

也许要理解印象派，就一定要理解雷诺阿，尽管他后来走自己的路，与传统的印象派有了距离。印象派追求的是丰富多彩的印象而不是刻板的规律，从这点上看好像他们是在反科学，其实他们是在试图将唯心和唯物的东西糅合起来，探索一种融入情感的更深层次的科学。雷诺阿的作品最好地诠释了这点。雷诺阿的画作洋溢着一种暖暖的温和。他想要带给观众他对这个世界理想和甜美的期望以及正面和舒畅的向往。他画的人物可爱、纯洁，连忧郁都捕捉不到；他笔下的生活热烈、欢乐，好像从来就没有什么艰难。但事实上雷诺阿自己的生活并非一帆风顺，他却印证了拜伦的名言：

悲观的人虽生犹死，乐观的人永生不老。

雷诺阿（Pierre-Auguste Renoir，1841—1919 年）法国印象画派成员之一。以油画著称，亦作雕塑和版画。他出生于一个穷裁缝家，十来岁就去瓷厂当童工挣钱糊口，瓷厂倒闭不得已去学画。他也曾被政府误以为是间谍而遭到逮捕。没想到倒闭和坐牢却成就了一代大师。在创作上他把传统画法与印象主义方法相结合，以鲜丽透明的色彩表现阳光的颤抖与空气的明朗，独具甜美温暖的风格。

我们在这里主要欣赏他的群体活动画作《游艇上的午餐》和《煎饼磨坊的舞会》。这些画人物众多，错落有致，画面生动，生活之气扑面而来。都是人物众多，相比于米开朗基罗的《最后的审判》的庄严，雷阿诺似乎更世俗更生活，然而雷阿诺却用记录生活美好的一刻来定格一种超凡的追求，并且这种美好没有一丝一毫的说教。

图 3-19 煎饼磨坊的舞会

我们先来看《煎饼磨坊的舞会》(*Dance at Le Moulin de la Galette*，1876 年)，雷诺阿描绘的是周日下午露天舞会，虽然有斑斓的日光，但在树下光线却较为冷暗。在这种冷暗的环境中，不重细节的印象派画法，容易让人产生醉生梦死的感觉。大师就是大师，最擅长渲染气氛，而着意气氛正是印象派的探索点。画中人物满满的，然而这种满却很有层次感。一如使用了数学中的泰勒展开，将整个舞会一层层地分解开来。作为展开主项的第一个层次就是画面居中偏右下正在聊天的两女一男，他们基本上占据了画面最重要的黄金分割的位置，在欢乐的舞会中，他们相对"静"；第二层次是这三个人右边的人物，他们或坐着吃东西，或起身去某处，人小些却开始小动了；第三个层次是左上那片欢乐跳舞的人们，人更小，表情已不清晰，但他们动感最强，真个画面也因为这些人的欢动而搅动起来。这几组人物形成一个螺线，并且这种欢快沿着螺线扩展到了画外，也更加突出了旋转中心的三个人物的外静内

动，心情荡漾。从而整个舞会的愉快的气氛跃然纸上。雷诺阿就这样将巴黎的生活场景以名画的方式载入历史。

前面提到的泰勒展开，其主人是布鲁克·泰勒(Brook Taylor，1685—1717 年)。他是牛顿后时代的英国数学家，英国皇家学会会员。学过高等数学的朋友都对这个名字非常熟悉。在数学中，泰勒展开是求泰勒级数的过程，泰勒级数用无限项幂函数连加式也就是幂级数来表示一个函数，这些相加的项的系数由函数在某一点的导数求得。泰勒展开在近似计算中有重要作用。我们往往可以通过泰勒级数的前几项来近似一个函数。

雷诺阿的另一幅画《游艇上的午餐》(*Luncheon of the Boating Party* ，1880—1881 年)则是阳光明媚的午后，这本来就有了热烈快乐的环境，这幅画却表现一种休闲、安逸的氛围。画家把画面最重要的位置让给了最安静的桌面上的酒和食物，周围的人都好像有了点微醺。这次画家没有像《煎饼磨坊的舞会》那样将画面处理

成激荡的螺线，而是通过游船暗示是一个普通波的安静扩散。桌面的物品就是波的中心，它们很容易让人联想到醉，但这醉不是大醉，而是那种最让人放松舒服的慵懒和饱醉。这样的醺醉也就一层层地通过人物扩散开来。最左下的女士，据说是雷诺阿的夫人，醉眼蒙胧，正在和她的小宠物说着醉话，她身边的男士正眺望远方，眼光落在了另一边的女士身上。右边的三个人聊着天，都好像有点把持不住，再远点人物像是有了更醉的举动。只是左上那个趴在船栏上的女孩，好像是最清醒的，却含情脉脉地看着一位背对观众的男士，我们看不到那位男士的表情，却相信在这样的气氛里，他们一定倾醉对方。画面上的人物表情各异，让观众相信他们之间会有很多的故事！

这两幅画都是表现众人活动的场面，一幅是在冷暗的环境里画出激荡的气氛，另一幅则是在热烈的环境中画出了闲逸的气氛。

雷诺阿的人物画也是特别精彩的，下面的《康达维斯小姐像》（*Portrait of Mademoiselle Irene Cahen d'Anvers*，1880 年）就是一幅代表作。画的一位少女，据说是位银行家的女儿。她侧坐着，背景很暗，有些斑斓的叶影，像是在花园的树荫下。在这种背景下，画家相当清晰地勾勒出少女明亮天真可爱的脸庞。让我们印象最深的是少女那如瀑布般纷乱倾泻而下还闪着光的

图 3-20 煎饼磨坊的舞会

棕色头发，形成一个三角形的散落，加上摊开的裙子得到了另一个三角形。我们注意到，少女是静坐的，并没有动，三角形暗示了这种稳定。但叶影和头发的处理是印象派的手法：一片片的，有很强的流动感。使得画面有点活泼，却更烘托出少女的娴静。这种在数学中我们称之为解反问题似的以假动刻真静，以纷乱画纯洁的技法，实乃高手所为。

图 3-21 康达维斯小姐像

德加的微积动画

17 世纪开始，随着科学技术的发展，各行各业，人们的传统观念都受到了极大挑战，新思想不断涌现。而这些新思想都互相影响着。在数学上，一场重大的革命应运而生，那就是微积分的诞生。

微 积 分 由 伊 萨 克·牛 顿（Isaac Newton, 1643—1727 年）和戈特弗里德·威廉·莱布尼茨（Gottfried Wilhelm Leibniz, 1646—1716 年）分别在前者 1671 年书写 1736 出版的《流数法和无穷级数》和后者 1684 年发表的《一种求极大极小和切线的新方法，它也适用于分式和无理量，以及这种新方法的奇妙类型的计算》从物理和几何出发开启了微积分时代。 开始的时候争论不断，人们为无穷小量的意义而大打出手，那时无穷小量被保守派称为"幽灵"，呼之即来，挥之即去，并引发了数学的第二次危机。直到 19 世纪，在柯西、魏尔斯特拉斯等众多数学家的努力下，微积分的理论才趋于完善，人们才有了刻画动态的利器。当然后来牛顿和莱布尼茨两人及其弟子为谁最先发明了微积分又打了几百年

官司，现在公认他们两人共同分享这个荣誉。在这个过程中，微积分思想也已一种不可思议的方式感染了艺术界。

在这历史变革的转折关头，为绘画艺

图 3-22 古埃及壁画

术寻找出路的卓越的艺术家也不满足于画布上的东西只会发呆。对他们来说，艺术永远有着勃勃的生机。他们面前的方寸画布，不再只是要忠实地反映客观世界的镜面，而是宣泄他们对世界理解的舞台。他们开始在静态的画面上尝试描述动态，静悄悄地开展了一场动态革命。尽管人们尝试刻画动态由来已久，在古埃及的壁画上就可以看出端倪。例如在阿布辛拜勒（Abu Simble）神殿弘扬法老拉姆西斯 II 的战斗

形象时，英雄的战马刻成了八条腿，以此表示战马奔腾的状态，但绝大多数描述动态场合的古典画，无论多壮观，都是凝固了激烈场面的一瞬间，那些人物的姿态和表情都是清晰真切细腻的。其实从微积分的思想，如果把运动物体的时间切割得很细，在 时间段里，这个物体是相对静止的，运动中的时间截面在这无穷小时间段里近似没有发生变化。这也就是古典画只是试图通过某状态很难持续的瞬间力求通过人

图 3-23 强劫留西帕斯的女儿

们的联想来得到动态效果。这也反映了古希腊哲学家数学家芝诺（Zeno of Elea，前490—前425 年）"飞矢不动"的思想。

我们来看文艺复兴时期巴洛克美术的代表人物尼德兰画家彼得·保罗·鲁本斯（Peter Paul Rubens，1577—1640 年）的代表作《强劫留西帕斯的女儿》（*The Rape of the Daughters of Leucippus*，1617 年）。华丽色彩和动作强烈的风格令人印象深刻。再现了希腊神话英雄宙斯的孪生子狄俄斯库里把留西帕斯的两个女儿从梦中劫走，强行上马的情景。两匹马和两对男女的交错动势占据了整个画面，色彩对比鲜明，头、手、脚四射，马仰人翻，很暴力，很热辣，极富运动感。人马的肌肉骨骼所传达的呼声，男人和女人眼睛流露的狂野和恐惧，让人感到惊心动魄，充分表达了文艺复兴时期人体健美、表情传神、动作精准的特点。这种人马姿势在现实中是绝不能持续的，所以画家是通过不能静止的动作来暗示动态，然而那个瞬间人马的姿态表情却都非常清晰具体，连头发都不含糊。

到了 19 世纪，艺术家们不满足只刻画某个时间截面的一瞬间，而要刻画无穷小的时间段，并通过此举期望让静止的画面动起来。从而对动态的探索更是全方位的，他们的主要画派是印象派，主要的成就是：

- ·利用模糊描述动态；
- ·利用不平衡刻画不稳定的静态；
- ·利用色彩变化留下活动的想象；
- ·利用变形展现变化过程。

用数学的话说，他们放大了无穷小时间到一个差分的微小时间，用 Δt 替换了 dt，并在 Δt 里研究运动物体的变化状态。当时间稍长一些，运动的影像就会飘逸重叠，从而产生模糊的效果。德加就是这样舞动画面，让静止的活动起来的先驱。

埃德加·德加（Edgar Degas，1834–1917 年），生于法国巴黎，是法国著名画家和雕塑家，也是当时新潮艺术的先驱。他出身金融资本家的家庭，祖父是个画家，因此他从小就生长在艺术氛围中。他曾在巴黎艺术学院学习绘画，受到浪漫主义的很大影响，他最著名的绘画题材包括芭蕾舞和赛马。尽管人们把他归入印象派，他自己却不大认账，他宁愿称自己是现实主义派。事实上，他的作品不仅有印象派的烙印，还具备古典、现实主义和浪漫主义画派创新性的风格。

在照相机普及的今天，我们很自然理解这样的事实，当相机曝光不够短时，留下的运动影像会模糊。但在照相技术应用于拍摄运动物体之前，人们很难明白这个道理，而德加却是具有这样慧眼的人。他对"动"体察入微，研究到位。他特别喜欢画舞蹈，也许舞蹈是最优美的运动，德加就是通过舞蹈敲开了让静止的画布动起来的神秘之门，在其上用他的画笔不经意地诠释了微积分的精髓。这里我们来欣赏他的代表作《舞台上的舞女》（*Dancer on Stage* 也有叫 *The Star*，1878）：

《舞台上的舞女》画了一位跳芭蕾的少女在单腿旋转的一刹那。这幅画带有印象派重感觉略细节的鲜明特征，可见不管德加承不承认，印象派的思潮对当时画风的影响都是深刻的。这幅画也明显具有画

图 3-24 舞台上的舞女

德加偏爱舞女，不仅画了各种各样的舞女还雕塑舞女。图 3-25 是在法国奥赛博物馆展出的他用青铜、纱、缎和木材制作的铜质雕像《十四岁的小舞蹈家》，小姑娘闭着眼，背着手，斜着脚，脸微微上抬，像是在回

家自己独特的风格，这就是他对动态先驱性的探索。虽然画家描述的也是难以持续较长的动作，但与古典画不同，人物的表情却不再清晰。那模糊的舞台背景，飘逸的舞裙，飞扬的发辫，迷幻的色彩给人以眩晕的感觉。画家巧妙地画出了旋转的印象，让整个画面舞动起来，在静态画布体现了比古典画更生动的动感。

图 3-25 十四岁的小舞蹈家

味旋转的世界。这回舞女安静了，但此时无动胜有动。

　　再看德加的另一幅画《赛马》（ *Race Horses*，1888 年），德加喜欢画舞女，也喜欢赛马，都是运动的主题，前个柔美，后个刚烈。但在"动"的处理上非常相像。在这幅赛马图上，远处的村庄和近处的草地都因为动而模糊不清。但几匹马及其骑者因动作的剧烈程度不同，清晰度分出了层次。那扬起的马尾和飘逸的舞裙之描绘如出一辙。而舞者偏冷和马者偏暖的画面也形成了阴阳柔刚之对比。

图 3-26 赛马

塞尚的不稳静衡

所谓不稳静衡是指物体处于不稳定平衡态的静态时刻，这种时刻常常一瞬即逝，而印象派的另一位杰出代表人物塞尚能以超凡的能力抓住这一瞬间来表现物体、环境和状态更深刻的内涵。赫伯特·里德（Sir Herbert Edward Read，1893—1968 年）在他的《现代绘画简史》[1] 是这样描述塞尚的：

无可置疑，我们所说的现代艺术运动，开始于一位法国画家想要客观地观察世界的真诚决心。下面的话并没有什么神秘：塞尚希望看见的就是世界，或者被他当成一个物体而静静观察的世界的一部分，这种观察不受任何清静的心灵或杂乱的感情所干扰。塞尚的前辈，印象派画家，曾经主观地观看世界——那就是说，从各种不同光线或者从各种不同的观点观察世界呈现到他们的感觉之前的真相。每一时机，都在他们的感觉中形成一个完全不同的、清晰的印象，而每一时机，都要求独立的艺术作品来描绘它。但

是塞尚却打算排斥事物的这种闪动而模糊的外表，去洞察那永不改变的的真实，而这种真实却隐藏在感觉的万花筒所映出的明亮而令人迷惑的图画后面。

……自然是一回事，而艺术则完全是另一回事。然而塞尚，尽管他熟悉博物馆的古典艺术"，也重视前辈们向大自然妥协的企图，但是，他并没有失望，继续去完成他们失败了的事业，那就是说，在自然面前"实现"他的感觉。

保罗·塞尚（Paul Cézanne，1839—1906年）法国著名画家，后成为印象派的主将，作为现代艺术的探索者，从 19 世纪末便被推崇为"新艺术之父"，也被称为"现代艺术之父"或"现代绘画之父"。他对空间感的追求和表现，为"立体派"开启了新河。他大大改变了静物画画法，将不稳定引进了静物画，从而开创了一代画风，对后来艺术的影响巨大。

有研究将塞尚的母题（《圣维克多山》

1.《现代绘画简史》，赫伯特·里德著，刘萍君译，上海：上海人民美术出版社，1979.

图 3-27 圣维克多山

（*Mont Sainte-Victoire with Large Pine*，1887 年）和同世纪的一位伟大的数学家亚历山大·格罗登迪克(Alexander Grothendieck，1928—2014 年)的"母题"（Motive）联系起来[1]，"母题"实际上是后者借用了塞尚表现印象派绘画的术语。两者都是通过"母题"的不同实现来把握母题的。康定斯基说他像画人一样画物，力求画出对象内在的生命。

这里我们特别谈谈塞尚的静物画。所谓静物画，即以相对静止的物体为主要描绘题材的绘画。这种物体（如花卉、蔬果、器皿、书册、食品和餐具等）是根据作者创作构思的需要，经过认真选择，精心摆布，通过形象和色调的关系创造的艺术品。静物画不需要模特儿，所以创作的条件相应简单，但其表现力仍然强大。

很久以来，静物画一直以静为美，画家们画静物画只是在布局、环境上下功夫来突出表现主题，而主题则很静。为了欣赏塞尚的静物画，我们先看塞尚之前的一幅典型的静物画。那是彼得·博埃尔（Pieter Boel，1626—1674 年）在 1658 年画的《带地球仪和鹦鹉的静物画》（*Still Life with a Globe and a Parrot*）。

图 3-28 带地球仪和鹦鹉的静物画

1. 徐克舰，"格罗登迪克的 Motive 与塞尚的母题"，《数学文化》，第 3 卷第 2 期.

这幅画都基本忠实原型，只是画家通过物品的安排使画面的分布乱而有秩，主次分明，色彩对比协调，物体仿真可触，即便是不安分的鹦鹉，在这里也是寂静的。画面还通过光线的明暗增加了深度。这些静物画都给观众一种永恒的安静感。

到了塞尚，这种安静被打破了。处在艺术大变革年代的塞尚，看穿了"静"背后的"动"，深谙动和静的辩证关系，以他不断探索的开拓精神，对最不可思动的静物画开刀，对静物画进行了一场革命，力求在静物画中画出动来。塞尚和德加不同，德加是将"动"的物体画出"动"来，而塞尚则是将"静"的物体画出"动"来。显然塞尚更胜一筹。从数学的观点看，静状态并不是永恒的，它只是被看成在各种条件下的平衡态，而平衡态被分为稳态平衡和不稳态平衡。这种稳态和不稳态也是相对的，在一定条件下可以互相转换。塞尚就在他的作品中表现了这种不稳定的平衡态，对印象派画风的延伸做出了巨大贡献。在塞尚的时代，微分方程和动力系统得到了长足的进步，人们对这些稳定

和不稳定的平衡态有了不断深刻的认识。同在法国的数学伟人庞加莱等人为此做出了重大贡献。这种思想形成的氛围其影响是相互的。在今天，平衡态的研究被用到了各个领域，并在优化、管理和预测等发面发挥着巨大作用，如天才数学家纳什将其应用到经济领域，并称其为均衡，并以此获得 1994 年诺贝尔经济学奖。塞尚说过："请借由圆柱形、球形与圆锥形来处理自然……"所以在他眼里，大自然很几何，那么在静物画上他也要表现出数学的元素——均衡。

约翰·纳什（John Forbes Nash，1928—2015 年）。美国著名经济学家、博弈论创始人。由于他与另外两位数学家在非合作博弈的均衡分析理论方面做出了开创性的贡献，对博弈论和经济学产生了重大影响，而获得 1994 年诺贝尔经济学奖。

塞尚画了许多静物画，下面我们来欣赏他其中的一副《高脚盘、玻璃杯和苹果的静物画》（*Compotier Glass And Apples Aka Still Life With Compotier*，1880 年）：

图 3-29 高脚盘、玻璃杯和苹果的静物画

　　乍看这幅画，并没有什么不稳定的感觉，但仔细观看，发现了太多不稳定的因素：倾斜的桌面，易滚动的苹果，滑落的台布，扭歪的托盘。但好像这些不稳定元素互相牵制都为平衡做出了贡献——台布虽乱增加了摩擦延缓了苹果的滚动，而其中的一个苹果

又像是压住了台布的滑势；水果刀好像是抵死支撑住了桌子的倾斜；那托盘借助苹果和葡萄这大珠小珠的力量，为了拉住滚动使劲用力都扭曲地变了形；甚至桌后墙面的壁画中的枝叶都挣扎着强伸头出来试图拉一把；那个若隐若现的透明酒杯上半截在壁画里，下半截在桌面上，像是起到了一个虚拟钉子的作用；而所有的苹果如果不滚动都隐含布排成了稳定的三角形。这些不同的势力互相牵制的结果，使得画面达到了一种微妙但脆弱的平衡，但只要有一个因素变化，这种平衡就会被打破，这里塞尚天才地画出了一个不稳定的平衡态，一个不静的静物画。

塞尚的静中动平衡甚至渗透到了最稳定的空间结构里。我们再来欣赏他另一幅静物画《石膏像丘比特》（*Still Life with Plaster Cupid*，1895 年）。这幅画使塞尚在二维画面上通过石膏像丘比特进行营造三维错位空间动平衡的尝试。这幅画描述了至少三个面：桌面、地面和墙面，但这三个面并不清晰，角色互换，交替重现，

同一个面在不同的地方承担不同角色，一会儿是桌面，一会儿是地面，一会儿是墙面。在画面底部，塞尚用他惯用的冷暖推拉的手法使桌面和地面泾渭分明，然而沿着左边桌面向上，冷暖两色越来越接近，当转角到桌面上边时，桌面和地面几乎难分，而观众目光沿着前面得到的桌面自然延伸到了上左的位置，地面和桌面完全融合了。使得靠墙的画好像站在桌面上也好像站在地面上，同样地，画的主题石膏像丘比特好像是站在桌面上也好像站在地面上。桌面上的台布好像与靠在墙上的画中的台布是同一块，特别是放在左边左面上的洋葱的头，与右边的洋葱用于强调区分桌面地面不同，它分明就是靠壁画中画的一部分。而那幅画的底部像是果断地切断了那棵洋葱头，将洋葱头的绿芽收归画有。沿着左边桌面上那些依靠在桌面上和悬挂在墙上的壁画慢慢往右往里看，一幅幅画慢慢变成了靠站在地面上的画，到了最里面的一幅画好像忽然被平放到了地面上。在这幅画前面的苹果处，地面和墙面已融为一体。

这幅画上的那个半蹲的人体雕塑好像是在画面里，又好像是个立体雕塑，和主题的石膏雕塑丘比特形成对比。画中还有几个苹果分别被放置在桌面上，地面上和壁面的画中，但画家的处理手法完全一样，使人感觉着三个面的结构在画中实现了统一。塞尚通过他的魔笔彻底摧毁了普通人的空间框架，捕捉到藏在空间后面的结构动平衡的内涵。

看过塞尚的画，我们再去欣赏后来走得更远的毕加索、达利等人的作品。我们就可以在他们的画里捕捉到塞尚的痕迹。可见塞尚的影响之深远。

图 3-30 石膏像丘比特

梵高的宇寰流线

说到动态，就不能不提梵高。梵高和塞尚是同时代的人，如果说塞尚是在理性地追求超脱静物的隐含的"动"，那么梵高则是感性地宣泄流淌在情感里抽象的"动"。梵高这位易激动，神经质的艺术家，在短暂一生中探索表现主义的绘画语言表达心灵情感，响亮浓重的色彩对比往往达到极限，留下大量杰作。在他的画中，那富于激情的笔触使他的麦田、柏树、星空等有如火焰般升腾、跳跃、旋动，震撼观者的心灵。强烈的情感完全溶化在色彩与笔触中。我们一直感叹梵高到底有一双什么样的眼睛？这双眼睛为什么可以穿透重重叠叠的表面障碍，看见现象的本质？为什么可以超越冥冥漫漫的时间空间，看到未来人们才能了解到的事实？而这些东西又是如何通过他神奇的画笔展现给我们的？

图 3-31 梵高自画像

文森特·威廉·梵高（Vincent Willem van Gogh，1853—1890 年），荷兰印象派代表性画家。做过职员、经纪人、传教士。他早期画风朴实，1886 年到巴黎结识印象派后画风巨变，由沉闷昏暗变得简洁明亮和色彩强烈。1888 年来到法国南部时，梵高已形成了自己风格。37 岁时梵高在精神错乱中开枪自杀。

我们来看梵高的名作《奥威尔教堂》（The Church in Auvers-sur-Oise，1890 年）。

在天主和基督文化的荷兰，教堂对人们的精神的生活非常重要。教堂一向是高大、庄严和稳重的，可我们看到，在有深厚天主教背景的梵高的笔下，有着稳定几何形状的教堂却被扭曲了。深邃的蓝天里，隐约湍动的气流像是一只巨大的手捏着坐落在长满鲜花草地上的教堂的钟楼沿顺时针方向旋拧了一把。教堂前的路也好像由此被分叉，路上凌乱却有方向感的脚印分道扬镳，却又好像殊途同归，指向了教堂后面那超越凡人感觉的地方。左边的一条道上孤独地走着一位农妇蹒跚地走向她自己认为清楚其实不清楚的目的地。梵高在创作这幅画时，他已接近了生命的终点。从这幅画里，我们几乎可以读出梵高的精神世界。他的精神支柱被激荡的情感、狂绪和幻觉搅动得摇摇欲坠。他那入口宽大的出路被分叉又被收拢，最后却不知所终，走向了信教凡人认同的超方向。但这幅画的意义不止局限在梵高自己的精神世界，而

图 3-32 奥威尔教堂

是有更深的含义。在梵高看似疯狂的意念里，他其实表达了当时处于平静生活的一般人难以理解的东西，这就是貌似神圣威严的宗教只是人们精神生活的一部分，它在人的情感漩涡中也是弱不禁风的。

图 3-33 星空

我们再谈谈他的另一幅名作《星空》(*Starry Night*，1889 年)。

这幅画是他在他生命的最后一年在精神病院里完成的，据说画的是他病房窗外的景色。在梵高的笔下，宁静广籁无垠而又神秘的夜空被画成了激荡流动徊旋而又梦幻的天幕。梵高的"动"已不再是刻画运动过程的一瞬间，而是试图描述整个运动流程，甚至延伸到了宇宙的起点。那现实中的一棵树给画成了黑色的火焰，直指夜空，和右上角那夜间似乎不可能如此明亮的大星月形成对比，而其他的小树都成了运动流线的一部分，让人感到平庸的世俗和宏伟的宇宙是这样剧烈地融合。

学过流体力学和动力系统的朋友会感到，这个图几乎包括了湍流、漩涡和动力系统的各种收敛或发散的极限状态。在似乎安宁的夜空中，空气是在剧烈流动的，敏感的梵高感受到了这一切。湍流问题曾被称为"经典物理学最后的疑团"，是个极为复杂的问题。据说 1932 年诺贝尔物理学奖得主沃那·海森堡(Wemer Karl Heisenberg，1901—1976 年)临终时曾说过，他将带着两个问题去见上帝，一个是相对论，另一个是湍流。他还估计，上帝对前个问题会有答案，至于后一个，上帝也未必有解。几个世纪以来，对于湍流，因为它涉及从微观到宏观许多时空尺度上的运动，并进行着内外各种能量交换，理论物理学家们却费尽了心机伤透了脑筋，工程师们更是如履薄冰绕着走。至今人们仅仅知道湍流是各种尺度上的一堆无序、不稳定并高度耗费能量可以形成阻力的流体，一般都会带来灾难。

我们知道在梵高的时代，数学界对流体力学的研究已经取得了令人瞩目的成就，从牛顿第二定律出发的被称为流体力学经典的由克劳德–路易斯·纳维（Claude-Louis Navier，1785—1836 年）和乔治·斯托克斯（George Gabriel Stokes，1819—1903 年）导出的纳维–斯托克斯方程（Navier-Stokes equations）已经建立。

当时除了对水流人们有了一系列的研究成果外，空气动力学的研究也取得了很大成就，这些为以后人们飞向蓝天的梦想打下了理论基础。后来，科学家一直试图用数学模型来精确刻画湍流现象，纳维–斯托克斯方程的研究就是流体力学的基础

和热点。关于这个方程的很多问题至今尚未完全解决，它也是研究湍流的出发点。在梵高去世后不久，诞生了一位伟大的数学家，他就是苏联数学家柯尔莫哥洛夫（Andrey Nikolaevich Kolmogorov，1903—1987 年）。柯尔莫哥洛夫在很多数学物理领域开拓新地，解决难题，揭示关系，贡献巨大，他的结果也引发了众多数学家的追随。特别在概率论和随机过程方面的成就使他当之无愧荣膺现代概率论之父。他不仅解决了大量概率论的问题，给出了以测度论为基础的概率论公理结构，将概率论从哲学领域变成数学分支，他的许多成果成了标准的教科书内容。他开创了研究马尔科夫过程的理论的研究，把当时爱因斯坦等大家在物理特殊情形中得到的转移函数的积分方程一般化，并且由此导出了时间向前与向后的两个偏微分方程，它们就是后来在物理、化学、生物、工程、金融方面广泛应用的柯尔莫哥洛夫方程。湍流的运动特征极为复杂，有确定性的规律，也裹挟着很多随机因素。平稳过程与

平稳增量过程的研究使柯尔莫哥洛夫得到了湍流在细小尺度的近似表达式，那是一组通过湍动能的平均耗散率和动黏度所表达的空间尺度、时间尺度和速度尺度的关系式，从而得到了著名的"柯尔莫哥洛夫2/3次律"，即湍动能的平均耗散率维度与空间尺度的平方成正比与时间尺度的立方成反比。这就是"柯尔莫哥洛夫微尺度"（Kolmogorov microscales）。在近代研究中，这种湍流的不规则更有混沌理论和分形理论施展的天地。

令人惊奇的是，人们对《星空》的研究后发现，画中看似抽象的光影"湍流"，竟非常符合"柯尔莫哥洛夫微尺度"这个很高深的理论[1]，而很多其他貌似旋圈的画并不符合这个尺度。

这幅画问世后不断地带给人们惊奇。梵高逝世后的13年，莱特兄弟将人类第一架飞机开上了蓝天。后来人们用计算机模拟飞机飞行时机翼所卷起的湍流，与梵高在思想遨游夜空时所体验的景象非常相似。不仅如此，下面几个图分别是哈勃太空望远镜拍摄到的1.8亿光年外的螺旋星系NGC-6984中一颗恒星爆炸的图像[2]、美国国家宇航局NASA拍摄卫星云图[3]和公布的2007年地球洋流图[4]。这些都是梵高逝世一个多世纪后，人们用高科技的射电望远镜和卫星拍摄的影像。我们不得不感

图 3-34 螺旋星系 NGC-6984 中一颗恒星爆炸的图像

1. http://www.arxiv.org/abs/physics/0606246

2. http://weather.msfc.nasa.gov/GOES/goeseastfullwv.html

3. http://modis.gsfc.nasa.gov//gallery/individual.php?db_date=2016-03-23

4. http://www.dailymail.co.uk/sciencetech/article-2121119/Nasa-model-ocean-currents-looks-like-Vincent-van-Goghs-The-Starry-Night.html

图 3-35 2016 年卫星云图

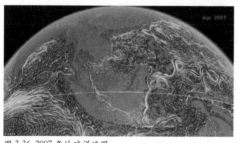

图 3-36 2007 年地球洋流图

叹一百多年前的梵高是怎样超越科技屏障看到这些的?

更有甚者,这些湍流在他的有些自画像里也是可见的,说明他的超感觉是如此地神奇,他的意识和湍流的激荡与混沌是如此地合拍。

在梵高的星空中心,我们还看到了一个太极雏形,和我们古老的中国哲学及其象征符号太极图不谋而合。我们的老祖宗对宇宙之初的解释是:是故易有太极,是生两仪;两仪生四象;四象生八卦。这是不是梵高从深邃无垠的夜空中所领悟到的宇宙元态?

高更的解析人生

保罗·高更（Paul Gauguin，1848—1903 年）法国后印象派画家、雕塑家、陶艺家及版画家。他的画作内容平实却奇幻，色彩大胆，技法平涂。

1848 年 6 月 7 日高更诞生后不久，由于政治原因，全家移居南美洲秘鲁。航海途中，高更的父亲在船上病故。6 年后，为了继承祖父的遗产，他们全家又回到法国。1865 年，

图 3-37 雅各与天使的搏斗

他中止学业，成为一名水手在远洋船上漂泊，后又成为拿破仑号巡洋舰上的水兵。母亲病故后，他离开海军成为一名金融经纪人，并娶了一位富有的丹麦女子为妻，中产生活顺风顺水。然而 1876 年他接触到了印象派，高更发现自己的一生只能属于艺术，从此艺术成了他毕生的情人，也彻底改变了他的生活。慢慢地，他的画在印象派画展中展出，后来他又和塞尚、梵高一起，同传统印象主义分道扬镳。1883 年，高更辞职专心作画。由此，艺术充当的第三者最终导致了家庭的破裂。1888 年，他到法国北部写生，在那里他创作了《雅各与天使的搏斗》（亦称《听布道后的幻想》 *Jacob wrestling with the angel*〈*Vision After the Sermon*〉1888 年 ）一画，决定了他象征主义风格的路线，也让他完全形成了自己的风格。

欣赏这幅画，我们首先感到的是色彩冲击，画中强烈的红黑白色彩对比：红色的土地，白色的帽子和黑色的衣袍，充满了南美的风情，想是早年秘鲁的生活为他打上了深深的烙印。然而作为主角的村姑信女的装束又是法国所有。这不能不让人联想到，那角斗场是幻觉，画家用一根粗大的树枝将角斗场和画中的观众划分开来，而画中的观众又选择了超凡脱俗的信女。红色隐含角斗的惨烈，而几乎占据了一半画面的信女白帽以及白帽下小部分的黑袍使得画面又冷静下来，让信女们并没有过多地卷入争斗，相反有点事不关己的意味。这些大大地白帽与缩小了的角斗者形成强烈对比，显示了观者信女们才是主角。而角斗者只是信女们的意象。事实上，大部分的信女并不在看，而是在低头祈祷。这种群体意象是怎么形成的，题目点到是听布道后的幻想。画面有鲜明的装饰效果，充满了宗教的气氛，又有印象派不具细节在乎感觉的特征。

1891 年，43 岁的高更搭乘一艘法国货船来到太平洋上法属玻利尼西亚群岛中的一个热带岛屿——塔希提，岛上原始的山水风光，纯朴而善良的原住民使高更着迷，他废寝忘食，拼命作画。这段时间他多以当地土著人为题，画面绚丽的服饰，

优美的风光，充满异国情调别有风味。画风也更加大胆，色彩更加鲜艳。例如下面这幅《塔希提岛的牧歌》（*Pastorales Tahitiennes*，1892 年）布局精巧，极具装饰性，隐含简单才美的美学理念。高更直接用色彩强烈的色块描述的田园风光，将一位浣洗，一位吹笛的恬静少女衬托得那么自然天真，在浓郁的生活氛围中洋溢着神秘的气息。这次把水也画成了红色，大地画成了与红强烈冲突的绿色，使得热带风情扑面而来，而少女的白裙更使主角纯洁无瑕。几朵小花的刻意点缀和那只悠闲的狗狗让人觉得天、地、人是那么和谐，

天堂也不过如此！

两年后，他带着大批这样的作品重返巴黎展览，但却未能被巴黎绘画界接受。1895 年，他重返塔希提，更执着而专注地沿着自己的道路前行，直到 1903 年病故。他的作品身后在巴黎被大规模展出，终于得到艺术界的承认和欣赏。而高更的色彩技法和鲜明画风，对后来的野兽主义画家产生了深刻的影响。

高更和梵高有着深厚的友谊，他们惺惺相惜，互相借鉴。经常一起作画，又经常为坚持自己的艺术理念而争论不休，甚至大打出手。他们的命运也很接近，在身前他们的成就得不到肯定，生活拮据，穷困缠身，而身后画价连城。高更的晚年虽然困苦，却对人生有了更深的思考。他也一度迫于贫困交加，绝望到了自杀的地步。

图 3-38 塔希提岛的牧歌

图 3-39 我们从哪里来？我们是谁？我们到哪里去？

不过他没成功。在被救之后，他产生出强烈的创作欲望。他把在梦中幻想和在塔希提生活感受结合，以"天问"的方式创作《我们从哪里来？我们是谁？我们到哪里去？》（*Where Do We Come From? What Are We? Where Are We Going?* 1897 年），并以最大热情构思完成了这件巨作。

这是一幅充满哲理性的大型油画。和我国古代的屈原（前 342—前 278 年）的《天问》有诗画呼应的意思。这幅画平面的浪漫手法使之富有东方的装饰性，而色彩基本属于同色系，并不像他的其他作品那么跳跃，但人体的色调仍然强烈突出，显示了主题所在。画面用笛卡尔式的解析方式，横向像是数学的数轴，按时间展开。最右边刻画了诞生，像是数轴的原点。在画面的黄金分割处，一个成年人顶天立地，

正在采摘果实，象征着人的黄金时代，而最左端的老者，暗示着人生的终点。在空间方向，远处有山有海，显示了人生在生活上在大自然中的宽度。背景上，高更画了一个看似印度神的神像，使得画面流淌着一种神秘的气息，也隐喻人生在精神上所企求的高度。画面里的植物张牙舞爪，寓意着人生的艰难。画面里还有些各种各样的小动物，寓示人生要相处的各种各样的同行者。右上似在洞穴里相拥的男女隐含着人生的两性关系。其他人做的各种动作都暗示人生所要干的事：吃饭、睡觉、哺育、看护、劳作、旅行、求学、思考、向往……在斑驳绚烂、如梦如幻的画面中，处处寓含着画家对生命意义哲理性的追问。

Truth in her dress finds facts too tight.

In fiction she moves with ease.

— Rabindranath Tagore

真理穿了事实衣裳太拘束，

舞动在想象中她很舒畅。

——拉宾德拉纳特·泰戈尔

第 1 章
抽象空间孕育艺术多样化

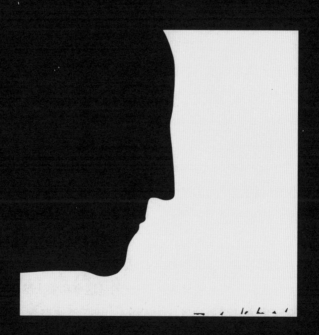

近代科学，特别是数学的发展表明人们的眼光越来越深邃，理性思维也越来越抽象。20 世纪初，几乎完美的古典物理学大厦上空的两朵乌云（以太风和黑体辐射的紫外灾难）引发了一场疾风骤雨，威胁到由牛顿等人建立的几乎牢不可破的根基。而爱因斯坦（Albert Einstein，1879 —1955 年）的相对论问世，普朗克等人（Max Planck，1858—1947 年）的量子力学诞生使物理走向了新时代。而数学经历了"罗素悖论"的第三次危机。这个时期影响人们思想和生活最深刻的标志是计算机的发明和应用。由此，数学大踏步地从象牙塔上走下来，以不可思议的方式渗透到各行各业。各个学科的出现的新数学问题也大大推进了数学本身的发展，导致新的数学学科层出不穷。

在让数学走向应用中，最值得一提的是被称为计算机之父的一位伟大数学家冯·诺依曼（John von Neumann，1903—1957 年）。冯·诺依曼原籍匈牙利，后移民美国，原本是一位成绩卓著的纯数学家，

但自从他进入了应用数学领域，就在众多领域里拔城占域，立下赫赫战功。例如冯·诺依曼和与和摩根斯特思合著的《博弈论和经济行为》是博弈论的奠基性著作。他对计算机的贡献尤其大，他参与设计第一台电子计算机，用二进制和程序内存给计算机运行注入灵魂，开创数值分析和计算数学，提出蒙托卡罗算法，探索人工智能等，由此带动计算机的飞速发展和应用。传说中他有惊人的计算能力，曾经几分钟就给出了别人用当时的计算机算了一夜的结果，让人惊呼有了这个大脑，还要计算机干吗？可惜的是这个超强大脑的生理生命却是短暂的，1955 年他被查出罹患癌症，不到 54 岁就英年早逝。然而他却把他的超强大脑用计算机的方式留在了人间。

计算机给人的生活和思想带来的变化是革命性的。正如机器帮助人们扩展了体力，计算机帮助人们大大延伸了智力。它的出现使人们的思维和行为方式也有了深刻的变化，现代技术让人的能力突破了瓶颈，也让人的思想挣脱束缚飞，向更为广

阔的天地。因此抽象思维前所未有地活跃。用一句俗话说就是"解放思想"。这也不可避免地影响到了艺术界。从古典画风中走出而风行一时的印象派开始没落，人们更倾向于主观、个性的探索，新的思潮、流派也不断涌现。绘画甚至开始脱"形"而追"神"了。

《斯芬克斯》（*Sphinx*，1902 年）这

图 4-1 斯芬克斯

座展于法国奥赛博物馆的波兰艺术家波尔斯拉斯·比加斯的石膏雕塑也许就是这个时代艺术发展方向的象征。在古代的神话中，狮身人面具有人的头、狮子的躯体，带着翅膀，它是巨人与妖蛇所生的怪物。斯芬克斯生性残酷，传说它守在路口让每个行人猜谜，猜不出来就把人吃掉。有一次，国王的儿子被斯芬克斯吃掉了，悲愤的国王发出悬赏"谁能把它制服，就给谁王位"。勇敢的青年狄浦斯应征而来。他来到斯芬克斯把守的路口，斯芬克斯拿出一个最难的谜语让他猜。"能发出一种声音，早晨用四条腿走路，中午用两条腿走路，晚上却用三条腿走路，这是什么？""这是人。"聪明的狄浦斯很快地猜了出来。斯芬克斯不服输，又给狄浦斯出了一个谜语："什么东西先长，然后变短，最后又变长？"狄浦斯猜出了谜底"影子"。于是斯芬克斯便自杀去谢罪。古埃及人常把斯芬克斯的人面换成了法老王的头像。这么一个著名的古文明特征的主题在这里被完全几何抽象化了。

马蒂斯的符号艺术

从印象派中蜕变出来的艺术家们发现印象派的"印象"已大大束缚了他们的创作空间。在印象派后期三杰的作品中已经流露出对印象派背叛的味道。随后兴起却短命的野兽派走得更远。野兽派（Les Fauves）是20世纪崛起的象征主义画派。野兽派的画家受后印象主义影响，认为绘画要表达主观的感受，不拘泥于明暗表现、透视光变等传统技法，简化抽象描绘的景物，比后印象派更大胆地用平涂式的强烈对比的颜彩原色和弯曲起伏的轮廓线，追求一种单纯原始的质朴气，使得画面颇富装饰性。其创始人是马蒂斯。

亨利·马蒂斯（Henri Matisse，1869—1954年），是法国著名的画家，野兽派的创始人和主要代表人物，同时也是一位雕塑家、版画家。他在20世纪初与后面将会提到的毕加索和杜尚共同创立了造型艺术，对绘画和雕塑进行了意义深远的革命，引导了后现代派的艺术。

也许对马蒂斯影响最深的老师奥古斯塔夫·莫罗（Gustave Moreau，1826—1898年）的话最能表达马蒂斯的艺术，"在艺术上，你的方法越简单，你的感觉越明显"。马蒂斯吸取了印象派保留印象模糊细节的特点又慢慢摆脱了印象派趋向混沌止于肤浅的弱点，而开始追求绘画对象的特征和符号。他对于绘画对象特征性的元素，用强烈的色彩强调，而对于非特征性的元素干脆忽略不计。这正是19世纪末到20世纪初科学的迅速发展和数学的广泛普及中"抽象"对他的影响。他将二维的绘画从已经发展得很完善得三维拉回到二维，而将三维的雕塑加入动感因素推到四维。我们来欣赏他的一幅代表作《红房间

图 4-2 红房间

(*Red Room*，1908 年)》，也叫《红色的和谐（*Harmony in Red*）》。

在这幅画里，我们看到用对比强烈的红绿两色区分了屋里和物外。

先看屋里，这是他要强调并点题的内容。一大片红色霸道地染遍屋里的每一个角落，以至于分不出墙面、桌面和地面，其他的东西都成了陪衬。简洁描述的妇人和椅子只为了暗示房间里有桌子而不是空的。但对于墙纸和台布的黑色花纹却不惜繁缛精画细刻，使得桌面上的水果、鲜花都成了墙面和桌面装饰的一部分。这样处理只为了屋里的人为装饰不输屋外自然的花草。再看通过屋里的窗子看出去的屋外，用简单的蓝绿两色分出地和天。而植物用对比张扬的白色强调。左上角的简单的粉色的小房子像是一个吸视器，将人们的视线从轰轰烈烈的红色拉到冷冷静静的屋外，最后收拢到这座小房。虽然绘画完全应用的是二维平铺技法，观众却真真切切地感受到了屋里的温暖和屋外的深远。马蒂斯的艺术打破了传统意义下的主次关系，暗

示观众强调你要抽象的对象，忘掉干扰主题的枝节。

我们还可以从另一个角度欣赏这幅画。如果忽略掉细小的差异，这幅画的屋里(红、黄、黑、白）和屋外（绿、蓝、粉、白）的各自四色表现了四色猜想。四色猜想是数学中的著名的三大猜想之一。另两大猜想分别是费马猜想和哥德巴赫猜想，它们都是题简难证。四色猜想是 1852 年一位英国的测绘员提出的。他发现在绘制地图时，要使相邻两个区域着不同色，四种颜色就够了。这个貌似简单的拓扑图论问题一个多世纪来让许多一流数学家耗尽脑力，传说著名数学家，爱因斯坦的老师闵科夫斯基（Hermann Minkowski，1864—1909 年）一次上课听学生提到四色猜想，便说到"这个问题是一个很有名的问题，至近没有解决是因为没有第一流的数学家来解决它，现在看我了"。然后他拿起粉笔便在黑板上开始了证明。这一证不要紧，一堂又一堂课过去了，四色仍在猜想，有一天他在演算中雷雨大作，闵科夫斯基停下

粉笔自嘲说："上天也在责备我的狂妄自大！"然后擦掉黑板回到了原来的课程。直到 1976 年由美国数学家通过计算机得到证明，才让四色猜想变成四色定理。这也是第一次计算机进入了数学证明的领域，数学研究方法上由此开辟了机器证明的新领域。

在下面两幅画《舞蹈》（*The Dance*，1910 年）和《音乐》（*Music*，1910 年）中，马蒂斯将他的理念发挥得淋漓尽致。实际上，他是用了数学的简洁方式通过绘画这个强大的艺术主题表现了另外两个强大的艺术主题。在《舞蹈》这幅画中，背景加人物只是简单的三色。五位赤身裸体却色彩热烈的女人，用最原始但激烈的肢体语言构成一个舞圈，表达出一种快乐欢腾的气氛。特别是下面的那个舞者，两只手分别和另外的手和脚合并，形成画面的两个支点，让这个奔放的舞蹈狂而不乱，野而还稳。这幅画从简单的色彩和轮廓直接将舞蹈所表达的意念传达给观众，不拖泥带水，不扭捏做作。马蒂斯本人也非常喜欢

这个舞蹈的抽象，以至于这成为了他的符号，多次在他的其他画中出现，用以表达均衡、热情、欢乐、和谐等抽象意念。作为对比，我们欣赏一下让·巴蒂斯·卡尔波（Jean Baptiste Carpeaux，1827—1875 年）的同名雕塑以及前面提到过的威廉·布莱克的《仙女舞蹈》（图 3-6）。这座巴洛克风格的雕像原来是为巴黎歌剧院而塑，立于其正面，雕塑巧妙应用三角造型用古典主义的风格，却通过人体舞蹈将欢乐表达到极致。相比这尊雕塑，我们可以理解什么叫舞蹈抽象了。

图 4-3 舞蹈

　　如果马蒂斯的《舞蹈》是用简洁抽象的方式表现出一种视觉上的动态美，那么他的《音乐》则是用这种方式表现了视觉上的静态但听觉上的动态美。这次，同样是三色，同样是赤身裸体却色彩热烈五个人。不过这次是男人，或坐或站地吹拉弹唱。从画面上，观众捕捉不到声响信息，然而，马蒂斯巧妙地通过五个人的位置，释放出音乐的信息。这五个人站的位置或高或低，肢体或收或放，活像一张五线谱。马蒂斯用这种迂回的方式让观众仍然可以感到音乐的魅力。

　　看到这两幅画，让我们联想到数学中的图论。图论，顾名思义，是以图为研究对象的数学学科，这大概是和绘画最近的数学学科，只是着眼点和绘画不一样。这两幅图分别就是图论中连通图和不连通图的典型例子。

　　图论中的图通常是一些抽象的图，是由若干定点（表示事物）以及连接它们的线（表示事物间的关系）所构成的图。图论起源于著名的柯尼斯堡七桥问题。在柯尼斯堡的普莱格尔河上有七座桥将河中的岛及岛与河岸联结起来，问题是要从这四块陆地中任何一块开始，通过每一座桥正好一次，再回到起点。然而那时的数学家们无数次的尝试都没有成功，直到欧拉（Leonhard Euler，1707—1783 年）在1736 年解决了这个问题，他用抽象分析法将这个问题化为第一个图论问题，并证明了这个问题没有解。他还推广了这个问题，给出了一个判定法则。这些工作使欧拉成为图论（及拓扑学）的创始人。

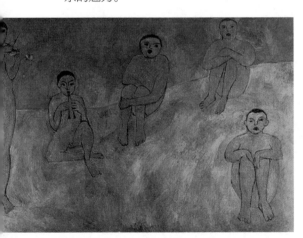

图 4-4 音乐

常数（微积分）、欧拉公式（复变函数）、欧拉线和欧拉圆（几何学）、欧拉图（图论）、欧拉示性数（拓扑学）、欧拉角（动力学）、欧拉方程式（流体力学）等。在他生命的最后7年中，双目完全失明，他还是以惊人的速度产出了生平一半的著作。1783年9月18日，在毫无征兆的安静如常的数学研究生活中他突然走了，神笔计算就此戛然而止。

图 4-5 欧拉

欧拉是著名的大数学家和物理学家，1707年生于瑞士。他是第一个使用"函数"的人，也是把微积分应用于物理学的先驱者之一。欧拉是一位数学神童，后来成为有史以来最多产的数学家，他的全集共计75卷。欧拉实际上支配了18世纪的数学，以他名字命名的东西在数学中处处闪耀，例如欧拉函数和欧拉定理（数论）、欧拉

康定斯基的点线面乐章

在流派频出，画样翻新的年代，几何在绘画中的角色也悄悄地发生了变化：由原来精细的结构支撑变成直接跳到台前，以自己简洁的方式诠释那些看不见、摸不着的感觉、情绪、意念、气氛等抽象元素。

康定斯基就是其中的代表人物。

瓦西里·康定斯基（Wassily Kandinsky，1866—1944 年） 俄裔法国画家，艺术理论家。康定斯基出生于俄罗斯莫斯科，在莫斯科大学就读法律和经济学，1896 年去慕尼黑学习绘画，俄国革命后返回莫斯科，1921 年回到德国，在一所艺术学校教书。学校 1933 年被纳粹关闭后，他定居法国，1944 年逝于巴黎近郊。除了绘画作品，他还著有《论艺术的精神》和《点·线·面》等多本抽象艺术的经典著作。这些被认为是现代抽象艺术的启示录，他本人也因此成为抽象艺术的先锋人物。在这些论著中，他不仅对色彩等绘画元素有精辟的论述，还探讨了各种艺术形式之间的关系。特别是，他大量应用几何，通过几合的基本元素点线面，对结构和表达进行了细致的分析。

康定斯基也是一位卓越的音乐家，有知觉混合的能力。他可以听见色彩，描画音乐。他在《论艺术的精神》中写道："色彩好比键盘，眼睛好比音锤，心灵仿佛绷满琴弦的钢琴；艺术家就是弹琴的手，弹奏着哥哥键盘令灵魂在冥冥之中震动。" 他的这种特异功能使得他的艺术领潮先驱，独具魅力。他甚至把他的绘画命名为"即兴"和"结构"，仿佛它们不是绘画而是音乐作品。

康定斯基在《论艺术的精神》中有句名言："数是各类艺术最终的抽象表现。"在他的画中活跃着各种几何元素，他用这些元素来表达音乐和其他抽象概念。在他的画里，绘画、几何和音乐得到了完美的融合。下面的画是他的代表作，1923 年作的 *Composition VIII* ，也译《第八乐章》。

刚开始接触现代画的人都会有同样的困惑，画家画的是什么？这并不像古典画那样容易得到共识，观众需要得到作者的指引和暗示，融进自己的经验和体会，完成一次再创作。康定斯基指出这样的疑问

图 4-6 第八乐章

图 4-7 第十乐章

是人们太容易注重表象而忽视内在的意义。以这幅画为例，错落有致的几何元素——点、线、圆、三角以及多边形、弧环等形状和谐地交织在一起，组成了一种结构。也许作者想要表达一种音乐旋律，然而在数学家看来像是一种函数空间，地形学家看来像是一个城市地图，生物学家看起来像是一种生命体征，心理学家看起来像是一种精神状态……这种仁者见仁，智者见智的再创作，使得这幅画寓意深刻，层次丰富，比古典画有更强的表现力。

为了对照欣赏，我们再放一段他的第十乐章（*Composition X*，1939 年）：

下面一个作品叫《决定性的粉红》（*Decisive Pink*，1932 年）。在黄色的底色下分布着各色各样的简单几何形状。唯有右上方黄金分割位置有一块粉红色的矩形区域，其上的三角形看起来像一面风帆或旗帜。这就是全画的核心。画家大约想借此表达自己不畏艰险，坚定创新的决心。

图 4-8 决定性的粉红

马列维奇的黑白宿命

和康定斯基同时代同地域的还有一位画家马列维奇，也在几何语言的抽象艺术中攻城略地，插上了自己的旗帜。然而，他走得更远、更极端，他的命运也更令人唏嘘。

卡西米尔·塞文洛维奇·马列维奇(Kasimier Severinovich Malevich，1878—1935 年)，乌克兰艺术家，至上主义艺术奠基人。他出生于乌克兰基辅的一个制糖小作坊家庭，是家里 14 个兄弟姐妹中的长兄，12 岁前不知什么是艺术。马列维奇先当了基辅艺术学校的学生，后转入莫斯科美术学院。他从接受严谨的西方艺术美学的教育，后和康定斯基等人一起成为早年几何抽象主义的先锋，最终以朴实而抽象或黑白或亮丽的几何形体，创立这个几乎只有他一个人独舞的至上主义艺术舞台。他的成名作《手足病医生在浴室》《玩纸牌的人》，具有立体主义和未来主义的特色。他还曾参与起草俄国未来主义艺术家宣言。十月革命后参加左翼美术家联盟。1935 年在贫病中卒于列宁格勒（今圣彼得堡）。

这里我们主要谈他的有现代艺术之誉的两幅画：《白色上的白色》（*White on White*，1918 年）和《黑方块》（*Black Square*，1923 年）。

图 4-9 白色中的白色

图 4-10 黑方块

这两幅作品最早分别是马列维奇在1918 年和 1915 年所作。马列维奇在这两个作品中将几何元素和色彩用到了极致，充分地表现了他的艺术理念。而黑白两色的极致表达，恰似冥冥中对应了数学中的0-1 规划、逻辑中的与或门、信息中的黑箱和白箱、决策中的 "to be or not to be"（莎士比亚（William Shakespeare，1564—1616 年）笔下哈姆勒特（Hamlet）的著名困惑）以及计算机中的二进制……

马列维奇曾经说过，"方的平面标志之至上主义的开始，它是一个新色彩的现实主义，一个无物象的创造……所谓至上主义，就是在绘画中的纯粹感情或感觉至高无上的意思"。他在简化了绘画中的主题、物象和内容到终极表现，用绘画最简的几何形状和黑白色表现接近于极限的意识。"无"成为了至上主义最高的绘画原则。他说："对于至上主义而言，客观世界的视觉现象本身是无意义的，有意义的东西是感觉，因而是与环境完全隔绝的，要使之唤起感觉。""模仿性的艺术必须被摧毁，就如同消灭帝国主义军队一样。"

1918 年，马列维奇著名的《白色上的白色》问世。这一标志着至上主义的终极代表作品，彻底异化绘画的基本元素色彩，化光为白。那个白方块，与底色融合，并从中微弱地浮出来。在这里，马列维奇突破了用凡眼看见的层次，也穿过以感觉品味的境地，将所有实际的概念虚化。画家所要表现的，是某种最终羽化或近似涅槃之类的状态。那模糊的边缘，就是这种状态遗留的具象痕迹。他说，"方形（人的意志，或许人）脱去它的物质性而融汇于无限之中。留下来的一切就是它的外表（或他的外表）的朦胧痕迹"。

而他更具代表性的作品是《黑方块》以及同系列的黑圆和黑十字等。他的一生画过了几幅黑方块，第一幅是 1915 年所作，其他都是在不同时期为不同的画展专门画的。他自己也留下了至少一幅。他的黑方块一经展出就引起巨大争议。有评论道："我们失去了所钟爱的一切……我们面前，除了一个白底上的黑方块以外什么都没有。"现在这些黑方块收藏于莫斯科和圣彼得堡的美术馆里，黑方块就成了马列维奇的特别符号。在黑方块里，他走向了另一个极端，就像数学中两个方向的极限。如果说《白色上的白色》表现了某种跃变，那么在《黑方块》则表现了完全彻底的沦陷和沉默。

　　比起后来跑到法国的康定斯基，马列维奇的晚年相当悲催。似乎他画的黑白方块宿命地预示了他的结局。1926 年，他任主任的彼得堡文化艺术学院被迫关闭。这个学院被官方报纸批为"吃官饷的修道院"，进行着"反革命的布道和艺术放荡"。马列维奇的艺术理念与当局提倡的政治性的社会现实主义严重冲突，而后者是马列维奇一生反对的。这导致他没什么好果子吃。再后来，对他的批判进一步升级，他的作品被批为资产阶级的艺术。他被剥夺了办画展写文章的所有权利。后他又被捕流放到西伯利亚，虽然他最后被释放，但他的健康已被摧毁。1935 年，他在贫病中离世，终年 57 岁。在他的病榻上，就放着一幅黑方块。而他的墓碑就是一个镶嵌着黑方块的白色立方体。

　　马列维奇的艺术后来在西方得到了广泛的肯定和欣赏。他的家人后来拿出了他后期的一幅黑方块（1923 年）。可当时市面上也流传着好几幅未经证实的黑方块，毕竟这幅画太容易模仿了。最具讽刺意味的是据说最后确认家人拿出的黑方块的真实性源于画布上的一枚指印，而这枚指印与马列维奇在西伯利亚监禁时留下的指印吻合。这幅画在 1993 年被 Inkombank 银行以 25 万美元买下。2002 年 4 月拍卖估价 100 万美元，后一位慈善家买下后捐出，现收藏于俄罗斯艾尔米塔什博物馆（Hermitage Museum）。

毕加索的高维画语

对现代派艺术，有位里程碑式的人物是绕不过去的，他就是毕加索。

图 4-11 毕加索的自画像

巴勃罗·毕加索（Pablo Ruiz Picasso，1881—1973 年）西班牙画家、雕塑家，立体画派创始人。他长期生活在法国并进行艺术创造，是当代西方最有创造性和影响最深远的艺术家之一。他对 20 世纪的艺术史留下色彩绚丽的一笔，被称为"人类艺术史上罕见的天才"。同时他是法国共产党党员，曾积极投身于反法西斯的战争。

毕加索生前已功成名就，一生画作浩瀚。据统计，他的作品总计多达 5 万件。毕加索的大半辈子在巴黎度过，过世后留下的那些他自己保留的画成了巨大的财富，以至于他的六个继承人无法负担巨额的遗产税。经协商，这些继承人同意出让部分画作，这些画作由专家们精选，在巴黎建立了毕加索博物馆（Musée Picasso）。当然在家乡也有他的博物馆。他的自画像就有他特有的"几何拼贴"立体画语风格。

阿瑟·米勒(Arthur I. Miller) 的书《爱因斯坦，毕加索——空间、时间和动人心魄之美》[1] 将两个伟人联系起来。20 世纪两个最具有原创性的心灵，几乎同时在颇为相似的氛围下，经历着他们最伟大的创

---

1. Arthur I. Miller , Einstein, Picasso: Space, Time and the Beauty That Causes Havoc Basic Books, Reprint edition (2002)

造时期。爱因斯坦以相对论、毕加索以立体主义表征空间和时间。在最重要的意义上，他们两人其实试图解决同一个问题。

爱因斯坦是著名的物理学家、思想家及哲学家。因为"对理论物理的贡献，特别是发现了光电效应"而获得 1921 年诺贝尔物理学奖，现代物理学的开创者、奠基人，相对论的创立者。他的理论深刻影响了科学技术并获得广泛应用，开创了现代科学的新纪元，被公认为是自伽利略、牛顿以来最伟大的科学家。爱因斯坦喜欢拉小提琴，应该很有艺术细胞，可他怎么和他同时代却不同领域的画家扯上关系了呢？好像并没有记载他们会过面呀？原来是他们的思想通过他们的工作遥相呼应，他们共同受到庞加莱的影响，共同探索时空的神奇，使他们的工作有异曲同工之妙。

传统的技法是通过透视、光差和阴影在二维画面上来表现三维，目标在于重构人眼的视觉效果。当然局限性也是显然的，只能在画面上表现对象物体一个方向的表象。这令进入 20 世纪的艺术家们十分不满，

他们通过各种途径进行了探索。有通过错觉增加对象的层次，有的通过暗示提升表达的深度，有的借助想象延拓视觉的局限，有的打破静止发展时间的维度。毕加索在前人的基础上，尽管他仍然在画具体的物象，却彻底摧毁了传统的理念。爱因斯坦的超凡的时空观也影响到了他。在他被称为立体主义的抽象画里主观表现出的光线不是如自然光般的直射而是迂回般照射的，描绘的对象也是以碎裂解析后重新组合的形式展现于同一个画面上，形成对象各部交错迭放，背景物体互相穿插的效果，用多角度多层次刻画对象，以此达到表现对象更丰富的立体主义形象。这样的处理方式，各种方向的线条和阴影的散乱使的得画面突破了传统的三维错觉，创造出一个全新的高维形态。所以他的画已脱离了原形而具备了更强更厚的表现力。

我们先来欣赏一幅毕加索的代表作《亚威农少女》（*The Young Ladies of Avignon*，1907 年），这幅作品是毕加索走向立体主义的里程碑，他有很多自画像都走得很远，

图 4-11 已"很不正常"。"亚威农少女"原名"亚威农妓院",画面中有五个裸女形象,是不是妓女已不重要,但其形体已脱离了古典的意义,异化成了几何的抽象。尤其是面部的处理,开始了毕加索式的扭曲。画面背景凌乱的布幔,给人一种工作实验室的感觉,这几个肢体舒展的裸女,更像是工作室里的泥偶,而毕加索就是捏泥偶的人。对于只能从一个方向看过来的观众,毕加索像是不停地转动着各个泥偶的碎片,全方位地展示者各种风格泥偶的方方面面。例如面部,中间两女,正面对着观众,鼻子却侧了过来,如果只看半边脸,左右两面分明是正和侧面;左边的那位,脸是侧的,眼睛却是正的;右边那位好像带着非洲风土那表情夸张的面具;最要命的是下面那位,毕加索似乎是绕了泥偶180度后,才将诸角度的视象综合为这一形象的。这个背对观众蹲着的泥偶,由于受到分解与拼接的处理,头部被拧到正面来,肢体缠拉到一个匪夷所思的姿态,脸部被分割扭曲,头发和眉毛连在了一起,长到

了鼻子上。在这里我们看到塞尚的空间变异,我们也看到了高更的原始野性。当然毕加索比他的前辈们走得更远,他把泥偶的碎片以他的方式重新捏合在一起,展现了一种超出平凡空间的表现力,还增加了时间的维数。为了强化他的这种多层次重构的效果,毕加索力求画面平面化。画面上那些具有凹凸感的色块,毕加索将其处理得非常浅,使所有部分都基本上在同一个面上显示。例如画面上人体的颜色变化不大,却区分几何结构。还有那些蓝色块,原本在视觉上有后退的效果。为了消除这种效果,毕加索便将其勾上白边,使之具有向前凸现的感觉。毕加索这种不同时间不同角度的形象用所谓"同时性视象"的语言一起"剪贴"在同一个画面上的画法,彻底打破了自意大利文艺复兴以来几百年来透视法则的限制,就这样开始了在二维平面上表现三维空间新的探索。

毕加索在法国数学家普林采特(Maurice Princet, 1875—1973 年)的影响下,接触到著名法国数学家亨利·庞加莱(Jules Henri Poincaré, 1854 年 —1912

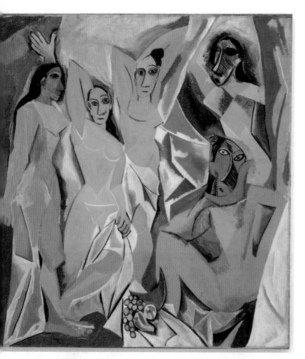

图 4-12 亚威农少女

间中的康维勒自己也认不出来，把自己的头像卖掉都不知道，还帮毕加索数钱。当然，忘掉肖像，这幅画的几何美还是令人印象深刻。

图 4-13 康维勒的肖像

年）的思想，开始和一些先锋艺术家一起关注四维艺术。他的一个尝试就是通过这个观念画了一幅艺术史家和画商《康维勒的肖像》（*Portrait of Daniel-Henry Kahnweiler*，1910 年）。这幅画够高维了，隐约的脸轮廓的两眼似乎重叠着另外深浅不同的脸。大家还可以自己去猜猜那眼睛鼻子嘴都去哪儿了，如果猜不着，可以设法进入四维高空去试试。如果不是画题而且也为这幅画当了模特，估计身处三维空

既然毕加索的画是"立体"的，甚至是四维的，那么我们好奇：他的空间雕塑会是怎样呢？事实上，毕加索也是一位雕塑家，

只不过他绘画的名头太大，他的雕塑反而知者不多。我们来欣赏一尊他以情人费尔南德（Fernande Olivier）为模特的雕塑《妇人头像》（*Woman's Head*，1909 年）：

将人物的五官组合构成交织的几何形体，我们看出这是将很多塞尚元素立体化，在实际的三维空间里体现。我们也看出他在三维雕塑中做的四维探索。作为对比，我们看一下，他同期画的具相同理念的二维《费尔南德肖像》之一。

图 4-14 温哥华巡展中的《妇人头像》

这座雕塑是毕加索在 1909 年秋天于巴黎创作的作品，最初以黏土捏塑，后来被铸成了青铜作品。《妇女头像》以立体主义的原则和非洲民间木雕的几何化手法，

图 4-15 费尔南德肖像

　　玛丽·特海思·沃尔特（Marie-Thérèse
Walter）或许是毕加索情人中最简单长情的一个，
他的 1932 年从她得到灵感的另一尊雕塑《女人
头像》更是毕加索风格十足，侧面的脸，正面的
眼，直通额头的鼻梁，简洁的头颅，这让他在三
维空间体现四维又进了一步，只是雕塑的五官虽
然变形还基本在位，不像他二维画那样五官错位，
眼不是眼，鼻子不是鼻子，那么来得具有冲击力。
有了这尊雕塑以及另一幅以她为模特的毕加索最
著名的画之二《梦》（*The dream*，1932 年）和《玛
丽画像》（*Portrait de Marie Therese Walter*，1937
年）也许更能让我们走近毕加索。

图 4-17 梦

图 4-16 温哥华巡展中的《女人头像》

图 4-18 玛丽画像

毕加索不仅醉心艺术探索，也极富社会关怀。他为联合国创作的系列和平鸽作为世界友谊作品，虽然简洁，俨然已成为毕加索的另一标志性象征。

图 4-19 鸽子

我们再来欣赏毕加索的另一幅名作《格尔尼卡》（*Guernica*，1937 年）。1937年 4 月 26 日，德国法西斯空军轰炸了西班牙历史名城格尔尼卡，2000 名无辜平民丧生，格尔尼卡被夷为平地。这一事件震撼了世界，也震撼了毕加索。当时侨居巴黎的毕加索，正准备为参加巴黎国际博览会的西班牙馆创作绘画作品。他就以格尔尼卡被轰炸为题材，将法西斯惨无人道的罪行曝光。这幅画极大程度地表现出格尔尼卡这个小镇遭德军施暴后哀鸿遍野的状态。画面很写实也很大，欣赏实图很受冲击。

画面是黑白的，背景很深，像是留在人记忆深处的哀叹。当时这幅画无法在画家的祖国展出，直到 1981 年，这幅画才回到西班牙，实现了毕加索的遗愿。现在这幅画陈列在西班牙马德里索非亚王后国家艺术中心（Museo Nacional Centro de Arte Reina Sofia）的一个专门的画室里。

这幅画一如毕加索的风格，仍然采用了剪贴的艺术语言，超时空的形象组合，所有人物都被几何化、碎片化。这幅画当然是表现现实的但又不同于传统现实主义的表现方法。画中采取了数学映射的手法，充满丰富的象征性。毕加索曾解释：公牛象征强暴，受伤嘶叫的马象征受难国，闪

图 4-20 格尔尼卡

亮的灯火象征光明与希望等。画中也有许多具体情景的描绘，而这些描绘似乎都可以在古典艺术中找到原型：左边，一个妇女怀抱死去的婴儿仰天哭号，让我们想起了米开朗基罗的《圣母恸子》（图 2-11），她的下方是一个手握鲜花与断剑张臂倒地的士兵，形成的十字形象像倒地的耶稣受难图。右边熊熊火焰中一个人高举双手仰天尖叫，让人感到就像古希腊那尊被蛇缠绕，每块肌肉都在挣扎的《拉奥孔》（Laocoon）雕像。在他前面逃命的人是那样地仓皇，以至于后腿远远落在了身后。画中除了死婴所有人的嘴都是张大的，形成一种强大的无声呐喊。通过剪贴的精心安排及其背后的含义，恐怖、痛苦、紧张和绝望的氛围跃然纸上。而手持灯炬的女人分明有自由女神像原型，给了整个画面一丝亮色。

除了典故，画面也有毕加索独特的元素如"点灯眼"和"比目牛"，强化了毕加索的特征。从结构上看，画中央，不同的灰度图像互相交叠，通过光线，构成了一个古典画常用的三角形，其中线将整幅画面分成互相制衡的两块。在明暗灰变的背景下，一个个充满动感和夸张变形的形象，表现得乱而有序，紧而又驰，既有丰富多变的细节，又突出了重点，表现出毕加索深厚的艺术功力和博大的人文情怀。

布拉克的立体运动

乔治·布拉克（Georges Braque, 1882—1963年）与毕加索齐名的法国画家。20世纪初和毕加索一起发起立体主义绘画运动。布拉克对立体主义技法有多项发明创新贡献，例如：在画面上使用了文字和油彩刷，引进木纹和大理石纹的过渡法，在颜料里掺进沙子和其他成分以产生各种肌理效果，还发明了贴纸法等。布拉克被公认为20世纪最重要、最具革新精神的艺术家。他虽然在一般老百姓中没有毕加索那么响的名头，但他对现代艺术的影响却一点也不输给毕加索。

1908年，布拉克来到埃斯塔克。那儿是塞尚晚期曾画出许多风景画的地方。在那里，布拉克开始步塞尚的后尘来探索自然外貌背后的几何形式，然而他比塞尚走得更远更抽象，建立了自己的风格。塞尚把大自然的各种形体归纳为圆柱体、锥体和球体，布拉克则更加进一步地追求这种对自然物象的几何化表现。在他的幅画中，具体的物体皆被简化为几何形，并以他自己独特的方法压缩画面的空间深度，使画中的东西看起来好似介于平面与立体间压扁了的折纸，风景好似一系列展开的纸样。所有景物，没有深浅，都以同样的清晰度展现于画面。

在《曼陀铃和节拍器的静物画》(*Still Life with Mandola and Metronome*，1909年）这幅静物画中，那个被各种各样几何体紧密包围的乐器，隐没在块面、色彩与节奏的旋律中。然而这些几何体都似乎具有各自的音响特质，围绕中心的异化了乐器产生共鸣。那些块面彼此呼应，整个布局又好像形成了一个人的头颅。音乐沿着四处弥漫的光散发、流淌。正如布拉克在一本书中所描述的那样："回声应随着回声，所有一切都发出了共鸣"。对比毕加索那幅思维肖像画，立体主义似乎不那么玄妙了。

图 4-21 曼陀铃和节拍器的静物画

达利的抽象拓扑

后现代主义让艺术家们越走越远，他们的作品对象的变形也越来越玄，越来越难以理解。但也不是完全不着边际。无独有偶，数学中一门专门研究几何变形的分支拓扑学也发展迅速。

拓扑学用来研究各种空间对象在连续性的变化下不变的性质，俗称是不量尺寸的几何学。哥尼斯堡七桥问题、多面体的欧拉定理、四色猜想等都是拓扑学的重要问题。

组合拓扑学的奠基人是前面提到的庞加莱。他被公认是他那个时代的领袖数学家，研究涉及数论、代数学、几何学、拓扑学、天体力学、数学物理、多复变函数论、科学哲学等许多领域，却不在这些领域长留驻扎。好像他更热衷于的是"征服"新领域而不是"殖民"已征服的领域。拓扑学他的主要兴趣在流形。在 1895 年—1904 年间，他创立了用剖分研究流形的基本方法。他引进了许多不变量，提出了著名的庞加莱猜想：任何单连通的三位闭流形同胚于四维空间的单位球面。

图 4-22 法国综合理工学院展出的庞加莱雕像

如何在画布上表现抽象的概念？艺术家们的诀窍就是拓扑映射。他们通过特别的物体表现一些抽象的理念和神秘的潜意识，这使得他们的作品对世间的物体在他们的手下进行着各种拓扑变换，离现实物象越来越远，画面也越来越荒诞。画家自己不负责解释，于是观众欣赏一幅画成为一个再创作的过程，而且见仁见智。所以同一幅画，每个观众根据自己的经历和知识会得到不同的感受，这也就是后超现实主义画派所达到的高度。这里有一名杰出人物叫达利。

图 4-23 小雕塑：达利煎腊肉的自画像

萨尔瓦多·达利（Salvador Dali, 1904—1989 年）生于西班牙菲格拉斯，西班牙超现实主义画家和版画家。他是一位具有非凡才能和想象力的艺术家，以探索潜意识的意象著称。1982 年西班牙国王胡安·卡洛斯一世封他为普波尔侯爵。

达利的煎腊肉的自画像（*Dali Self-portrait with Fried Bacon Surrealism Statue*，1941 年）也很有风格，不惜将自己变形。眼眶被撑得很大，嘴巴却被插封。他那象征性标志两簇向上弯翘的胡子和向下弯的眉毛相映成趣，整个雕塑却有一种自命不凡的感觉。他的作品乍一看感到难以接受，画面乱七八糟不知是些什么东西，经常只能叹为荒诞。但仔细看可以发现一些线索，顺着这些线索能慢慢地琢磨出作者可能要表达的意思。这里只能说可能，因为你的理解完全在乎你的背景，例如，从笔者眼里看出来的达利画的意思是很有数学意味的，即他映射的空间与数学有关，尽管他的数学思想没有被记载。下面我们从数学的角度来欣赏他的三幅比较容易懂的画。

《记忆的久恒》（*The Persistence of Memory*，1931 年）是达利最有名的画作之一。画面上惹人注目的是三个分别挂在树上、披在怪物上和搭在桌上的弯曲的时钟。说到时钟，大家容易联想到时间。是的，我们可以默认这三个时钟映射的就是抽象的也是基本的概念：时间。可是，与我们平时见到的时钟，无论挂在墙上还是放在桌上或者戴在手上，其面都是平整的，那么他的弯曲表示了什么？这让我们联想到达利同时代的一位伟大的物理学家爱因斯坦。他的相对论指出空间是弯曲的，从而让数学史上纯属理论推演的非欧几何落到了实处。那么达利的画是不是表示时间也是可以弯曲延拉的？笔者的理解是肯定的。时间本是一维轴线，时间弯曲是什么意思？传说年轻的爱因斯坦 1911 年在布拉格大学校园里的草地上回答一位学生的请求"请您通俗地解释一下，什么叫相对论"？爱因斯坦微笑着答道："如果你在一个漂亮的姑娘旁边坐了两个小时，就会觉得只过了 1 分钟；而你若在一个火炉旁边坐着，即使只坐 1 分钟，也会感觉到已过了两个小时。这就是相对论。"想想我们的确有这样的经验，有些时候过得快，有些时候过得慢；有些时候感到回到过去，有些时候过得不同从前。这也就是说看似对人

人公平公正一样的时间映射在我们感觉记忆空间里确实是柔软有弹性的，或者说是可屈可伸的。达利应该通过三种方式隐喻时间弯曲的方式：挂——时间可以倒流；披——时间可以伸缩；搭——时间可以折转。而树枝、桌子和怪物分别隐喻使时间弯曲的方式：树枝——时间尽头；怪物——时间状态；桌子——时间障碍。加上他的题目，时间是永恒的但映射在人记忆中有各种方式。桌面上达利还画了一个不知是酒瓶还是化妆盒的东西，这个世俗的坚硬东西好像永久不变，佐证了抽象、柔软和

图 4-24 记忆的久恒

变化的时间，成为时间的参照物。画的背景是在海滩上，向前海面可以伸展到无限，但海滩地面却是有限的，隐喻着依附于时间的记忆之永恒性，但拥有和承载记忆之人生却是有限的。

　　达利甚至直接将数学元素用在他的画里。受四维艺术的影响，他在《十字架受刑》（*Crucifixion*〈*Corpus Hypercubus*〉，1954年）将耶稣受刑的十字架画成了超立方体，隐喻耶稣升天后去到了高维空间，左下角站在地面仰视的女子见证了这一时刻，她所站的地面有一个八胞体十字架在二维平面上的投影，那是一个 5 个正方形组成的十字形。这幅画至少比毕加索的四维肖像容易理解。四维超正方体又称超立方体或正八胞体，它是在几何学中立方体的四维类比，四维方体之于立方体，就如三维立方体之于二维正方形，四维方体是四维凸正多胞体，有 8 个立方体胞。它展开来就是这个立方体柱。另外一个三维空间的立方体展开到二维平面上的正方形柱，可以帮助我们理解这个四维超立方体在三维空间里的展开形态。它以这种方

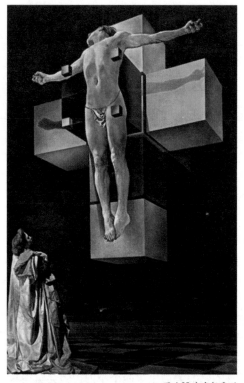

图 4-25 十字架受刑

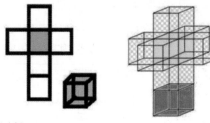

图 4-26
　　　　　　　　　　　　　　　　图 4-27

式向生活在三维空间里的人们诠释了对高维空间及其投影的理解。

　　下面这幅画叫《比基尼的三尊狮身人面像》（*Three Sphinxes of Bikini*，1947 年）。因为比基尼岛是美国的核试验基地，加上画作的时间和达利的反核立场，通常把这幅画最里面的那东西看成蘑菇云，这幅画被解读为是反核的。也有人把比基尼理解为三点式泳装，从而将画解读为性。而我更想从另一个角度，用映射解读这幅画。将人的头颅和树冠，还有远山可以理解成山石的东西画成相似型对应起来。笔者理解成高级动物、植物和沙砾在大自然的眼中都是平等的。笔者甚至感到此画有李白"众鸟高飞尽，孤云独去闲。相看两不厌，只有敬亭山"的意境。有意思的是题目，比基尼的三点，他把这三点都叫作狮身人面，亦人亦兽，实际画面是亦人亦草亦石，这有什么区别呢？各种解读各抒己见吧，或许叫醒达利才会有原始说法。

因此，达利的画看似荒诞，但映射出的内容不可谓不丰富，不可谓不深刻。

图 4-28 比基尼的三尊狮身人面像

蒙德里安的格局分布

彼埃·蒙德里安（Piet Cornelies Mondrian，1872—1944 年），生于荷兰，逝于美国的画家，他以几何图形为绘画基本元素引领非具象几何抽象绘画，对后来的工业设计和建筑装潢的影响很大。他追求一种绝对理性的美。他认为艺术应根本脱离自然的外在形式，以表现抽象精神为目的，追求的绝对境界的"纯粹抽象"。蒙德里安早年画过写实的人物和风景，后来逐渐将形态简化成横平竖直加矩形色块的形式，用最单纯的红、黄、蓝和绿等原色来描绘风景。从这些简单的矩形的有韵味的排列里，反映现实中抽象而复杂的概念：秩序、联系、分布和均衡之美。蒙德里安把新造型主义视为一种手段，通过这种抽象符号把丰富多彩的大自然简化成有一定关系的表现对象。他自画像中的大色块已浮现。

蒙德里安说："唯有纯造型才能完成最后的抽象。在造型艺术中，真实性只能通过形式和色彩，有动势的运动的均势才能表现出来，纯手段才是提供达到这一点的最有效的方法。"这一思想使他通过直角，

通过把色彩简化为原色，并加上黑和白，成为一种非全等的、对立的均衡。他还说："我一步步地排除着曲线，直到我的作品最后是由直线和横线完成，形成诸如十字形，各个相互分离和隔开，直线和横线是两相对立力量的表现，这类对立物的平衡到处存在着，控制着一切。"他就是这样通过垂直与水平线结构的动势平衡，以及使用原色，完成了他表现宇宙的理想，达到一种人与自然统一的境界。他的画作《作品 A》（*Composition A*，1923 年）就是一个实例。

我们从他在西班牙提森·波尼米萨博

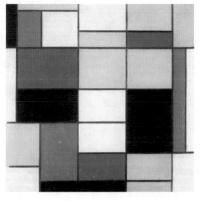

图 4-29 作品 A

物馆一幅作品《纽约城 3（未完成）》（*New York City, 3〈unfinished〉*，1941 年）中来试水几何是如何在他的画里变成秩序、联系、分布和均衡的。画中的五种颜色直线让我们想到了街道，但街道却是迭错的，使得画面有了纵深感。还有三种颜色的色块，可以认为是街区，却被分开。这幅画的名字有点暗示，然而他更多类似的画却只用"作品""画面"一类的名字命名。所表现的只是秩序、联系、分布和均衡一类的抽象概念。

不少读者也许会说，这是什么呀？这也能成为名画？还被著名博物馆收藏？小孩子也会画！相信蒙德里安最初用这样的几何框架去冲击美术界时，一定也会有这样的非议。是的，这样的图形一般人都会画，可是现在如果你拿个尺子和色板画出个类似的画，你不能算创作，只能是模仿。当他的风格引起人们心里和情感深处某种韵律共鸣并最终被美术界接受还在工业设计等领域大放光彩时，这种风格也就打上了蒙德里安的烙印。

图 4-30 纽约城 3（未完成）

米罗的随机元素

米罗（Joan Miró，1893—1983 年）是 20 世纪超现实主义的绘画大师。他的作品有纯朴的幽默，有童稚的天真，也有幻想的灵动。他的雕塑作品也广受欢迎，在很多国家如法国、西班牙的街道中心可见。

《耕作的土地》（*The Tilled Field*，1923—1924 年）是米罗早期的作品之一，也是他走向超现实主义的代表作之一。画面的基本颜色是黄色，迎合土地的元素，甚至天空也是深点的黄色，这种暖色使得这幅画很温暖。左上方的太阳虽然有点有气无力，隐藏在大块的黄色中，还被两个巨大的植物枝杈所干扰，但没有影响到整个画暖和的基调。右边一棵树顶天立地，树上还有一只眼睛，好似茁壮的自己才是主人。各种变了形的童

图 4-31 耕作的土地

话般的动物游走于土地上，使得画面活泼起来。右边有一块暗紫色隐喻着黑夜动物们都在白天的土地上活动，只有树的三分之一进入黑夜。有间地平线上的小房子使得画面有了人气。而左下土地上明显的波纹像是正在耕作的土地，点了画题。有意思的是耕作肯定是人的行为，然而人没有直接出现在画面上，而是通过分散画面的人的五官、工具、旗帜等来体现人的痕迹。画面上的物体被安排得错落有致，充满童趣、自然和谐，极富韵律感。看了就让人喜欢。

　　右上这幅画是展示在西班牙马德里索非亚王后国家艺术中心的米罗的原作《牧歌》（ *Pastorale*，1923—1924 年），拙朴稚气的笔触，简单有趣的布局，很像我们小时候趴在大地上用树枝随机乱画的涂鸦，却散发着一种迷人亲和魅力。

　　我们再来欣赏米罗一幅题为《女诗人》（ *The Poetess*，1940 年）的画。在这幅画里，颜色鲜艳，形状不一的元素无规律地散落画面。从画题的暗示解读，米罗也许想表

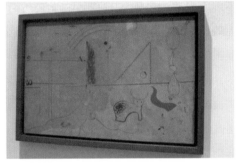

图 4-32 牧歌

达诗人那天马行空的思维。特别是女诗人，思维方式更感性。然而在我看来，这幅画就像一幅在显微镜下的小颗粒布朗运动的表现图。

　　布朗运动指小颗粒不停歇地做完全

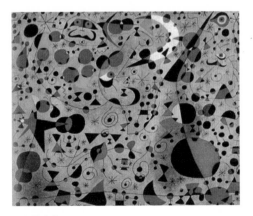

图 4-33 女诗人

不规则运动。它是 1827 年植物学家布朗（Robert Brown，1773—1858 年）最先用显微镜观察悬浮在水中花粉的运动而发现的。研究认为是小颗粒随机碰撞所致。后来被维纳（Norbert Wiener，1894—1964 年）上升到理论刻画成现代随机过程的基础：维纳过程。这是很深刻的工作，刻画了如热运动等很多自然现象，从而成为许多学科如分子动力学、热力学甚至金融数学的基础。维纳是多才多艺和学识渊博的科学巨人，智力超常，3 岁时能读写，14 岁大学毕业，很快通过论文答辩，成为美国哈佛大学的博士。在学位授予仪式上，主席看到稚气未脱的维纳，惊讶问龄。这个数学神童抛出趣题语惊四座："我今年岁数的立方是四位数，岁数的四次方是六位数，这两个数，刚好把 0、1、2、3、4、5、6、7、8、9 全用上了，不重不漏。这意味着全体数字都向我俯首称臣，预祝我将来在数学领域里一定能干出一番惊天动地的大事业。"后来在其 50 多年的科学生涯中他的成就果然如他当时的预祝，先后涉足哲学、数学、物理学、工程学和生物学，在各个领域中都取得了丰硕成果。特别在数学上，他奠基随机过程、开辟信息论以及创立控制论，是让人高山仰止的数学大师。

随机的研究进入以精确为生命的数学界的确经过一番周折。连爱因斯坦也不相信上帝会扔骰子。但自然界太多的随机现象已不容数学家们忽视，如物理的量子力学，测不准原理已堂而皇之地走上舞台。所以维纳的理论成果和也就有了广泛的应用。计算机的出现更催生了信息处理的革命，让统计学这门古老学科焕发了青春，概率论和随机过程也有了更大的用武之地。加上各种便捷的电子工具，让我们有了今天的 Volume（大量）、Velocity（高速）、Variety（多样）、Value（价值）的大数据，使我们快速地进入了大数据时代。米罗的这幅画从这个角度上看也很有点大数据的雏形。

波洛克的随意泼墨

　　要说随机，恐怕美国画家波洛克更是把其发挥到极致，他不仅把随机带进画面，而且把随机变成绘画方式。

　　杰克逊·波洛克（Jackson Pollock，1912—1956 年），抽象表现主义绘画大师，也被公认为是美国现代绘画摆脱欧洲标准，在国际艺坛建立领导地位的象征。他首创"滴画法"，即把巨大的画布平铺于地面，用钻有小孔的盒、棒或画笔把颜料滴溅在画布上。他有时还用石块、沙子、铁钉和碎玻璃掺和颜料在画布上摩擦。他摒弃了画家常用的绘画工具，绘画时完全摆脱受制于手腕、肘和肩的传统模式，其创作不作事先规划，作画没有固定位置，在画布上随意走动泼洒，以反复的无意识的动作形成复杂难辨、线条错乱的网，画面无中心、无结构，却确立了抽象表现主义特征，人们冠之为"行动绘画"。波洛克的出现，有人大呼，艺术完了，艺术家完了，这样的作品还要画家干吗？任何在画面上可以随机跑动的玩意都可以完成画作。也的确有人把狗关在笼子里，地面铺上画布，让狗背上滴漏的颜料，然后惊吓狗，让其不停地跑动作画。但事实上，正如有人评论："波洛克的每一张作品都不是轻易画出的……当他作画时他沉湎于吓人的狂热行动中。"他自己也说："一旦我进入绘画状态，我意识不到我在画什么。只有在完成以后，我才明白我做了什么。我不担心产生变化、毁坏形象等。因为绘画有其自身的生命。我试图让它自然呈现。只有当我和绘画分离时，结果才会很混乱。相反，一切都会变得很协调，轻松地涂抹、刮掉，绘画就这样自然地诞生了。"正是如此，波洛克的确以这种随机画法第一人载入史册，他的画市场价居高不下，各大博物馆多有收藏。下页的画《突变》（Sea Change，1947 年）就是一个典型例子。

　　这幅画和他的很多作品在数学人的眼里，就是活脱脱一个"混沌"的图解。

图 4-34 突变

克利的诗意平面

保罗·克利（Paul
Klee 1879—1940 年 ）出
生于瑞士艺术家庭。受到
象征主义、表现主义、印
象派、立体主义、野兽派
和未来派的影响，却又和
各种主义若即若离。他在
艺术的道路上边走边看、
采花摘叶，装点自己的艺
术花园。他拥有分解几何
和色块分割的特立独行的
画风，是最富诗意的造型
大师之一。保罗·克利曾
经这样表达自己的创作理
念："艺术并不描绘可见
的东西，而是把不可见的
东西创造出来。以前人们
描绘事物，描绘那些在地
球上可以看到的事物，它
们是人们乐意看的或曾经
乐意看到的。这种事物与
整个世界相比只是些孤立

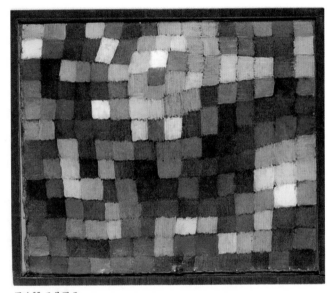

图 4-35 五月图画

的例子，而真实隐藏在大多数事物之中，应该努力从偶然现
象中求得本质。" 他要探寻的是表象背后的本质，也许是
生命和宇宙的哲学。他的自画像有素描的方式，有点抽象
罗丹《思考者》的意思。"没有专制，只有自由的呼吸。"
这是克利在论及康定斯基的抽象艺术时说过的一句话，这也
许可以用来理解克利的艺术。

在美国大都会博物馆观赏《五月图画》（ May Picture，
1925 年）这幅作品时，我暗暗吃了一惊。这分明就是一幅
引起时空弯曲的引力波的部分图解。在物理学中，引力波是

指时空弯曲中的涟漪，曲率的扰动通过波的形式从辐射源向外传播，这种波以引力辐射的形式传输能量。是由于空间质量和速度的变化导致空间产生的波动。在 1916 年，爱因斯坦基于广义相对论预言了引力波的存在。激光干涉引力波天文台 LIGO（Laser Interferometer Gravitational-Wave Observatory）在 2016 年 2 月 11 日宣布：探测到引力波的存在。爱因斯坦广义相对论实验验证中最后一块缺失的"拼图"被填补了。美国科研人员于 2015 年 9 月首次探测到约 13 亿年前碰撞，两个巨大质量结合所传送出的刚抵达地球的扰动。这个实验证实了爱因斯坦 100 年前所做的预测。克利或许并不知道他同时代的爱因斯坦的预言，在《五月图画》中他也许想表现一种用马赛克处理过的春天的骚动，但大自然很多现象有惊人的类似，他无意用他"创作看不见东西的理念"将爱因斯坦深刻的思想部分图解了出来。他这种直觉实在太神奇了，真可谓"英雄所见略同"。

我们再来欣赏克利的另一幅作品《森林巫婆》（*Forest Witches*，1938 年），这件作品或许更能体现克利的思想，画面恰似一张数学化的迷宫，迷宫的隔墙形成异化的人形、鸟兽形、草木形或别的什么形，这些东西交织互嵌在一起，色彩浓淡阴晴不定，共同构成一个大宇宙，加上意味深长的话题，克利以此来表达他的世界观。

图 4-36 森林巫婆

杜尚的离散连续

马塞尔·杜尚（Marcel Duchamp，1887—1968 年），纽约达达主义团体的核心人物。生于法国，1954 年入籍美国。他充满争议，以一副不能流芳百世也要遗臭万年的精神，挑战经典，调侃传统，例如将优美的蒙娜丽莎画上胡子，将小便池命名为《泉》送上大雅的艺术殿堂。然而正是离经叛道的他改变了西方现代艺术的进程，让他在艺术史上占有了自己的位置，也向人们诠释了什么是创造性思维。二战后的西方艺术可以说主要是沿着他的思想行进的。而他的独立特行也是有迹可寻的。他的自画像很有剪纸风格，只给了一个轮廓。

我们这里主要从数学的角度欣赏他的一幅名作《下楼的裸女》（*Nude Descending a Staircase*, No. 2，1912 年）。这幅画曾被立体派画展拒之门外，但后来还是引起过画界的轰动，成为现代经典的代表作。这幅作品的确很有数学意味，下楼的女子裸不裸已没有了意义，我看起来她倒是更像是穿了盔甲，但是她下楼的过程轮廓框架都在。杜尚实际上就是把一个连续曲面及其连续变化的过程进行离散后表现了出来。在数学中，特别是使计算机处理连续变化的问题时，离散可是第一步要做的事。

由于计算机的长处是快，但它只会做是非判断和加法，即它只会离散运算。让计算机干活必须要把问题翻译成它能懂得语言，所以让它处理连续问题，必须要把

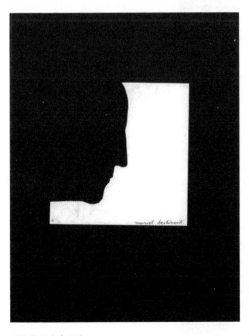

图 4-37 杜尚自画像

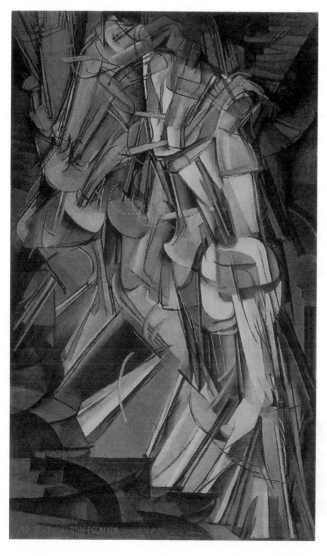

图 4-38 下楼的裸女

问题的连续变量近似成一组离散变量。而计算结果也是离散的形式。这就是为什么早期速度不快的计算机算出来的曲面如人脸都是一块块的。那么下楼这个连续过程让速度不快的计算机处理，会得到杜尚类似的结果。在杜尚的时代，这么一幅"计算口味"的画可真是预见十足而又意味深长。

　　提到计算机科学，我们要纪念英国科学家图灵（Alan Mathison Turing，1912—1954年），他是计算机逻辑的奠基者，著名的"图灵机"和"图灵测试"的设计者，二战中曾协助破译德国的著名密码系统 Enigma，帮助盟军取得了二战的胜利。他被誉为"计算机科学之父"和"人工智能之父"。美国计算机协会（ACM）设立的"图灵奖"是计算机界最负盛名和最崇高的一个奖项。

　　此画再次印证，"他山之石可以攻玉"。

举杯邀明月，对影成三人。

我歌月徘徊，我舞影零乱。

——李白《月下独酌》

第 5 章
数学艺术大师埃舍尔

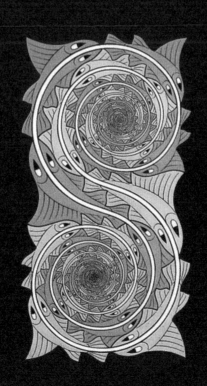

把艺术与数学联系得最密切的人当属埃舍尔。

图 5-1 埃舍尔木刻自画像

摩里茨·科奈里斯·埃舍尔（Maurits Cornelis Escher，1898—1972 年），荷兰图形艺术家。他以其源自数学灵感的木刻、版画等作品闻名。他的作品隐含着耐人寻味的数学意念和哲学思考却无法归属于任何一家流派。他所创立的独特风格不仅前无古人，好像也看不见追随者，但却被众多科学家推崇。他的艺术显示了数学之魂，哲理之美。他将数学的匀称、精确、规则、循序、奇幻等抽象特性以不可思议的方法表现在神奇的作品中，并将貌似矛盾的异次元空间状态用难以言喻的形式糅合到平面画布上。例如明明是上楼不知为什么却返回到了原处，鱼儿在游着游着变成了飞翔的鸟儿。他的艺术充满着难以抗拒的魔力，征服了人们的心灵。尽管很长时间以来他的艺术被美术界视为异端，却由于受到科学家们的广泛而深刻的欣赏在世界范围内确立了不可动摇的地位。

田松和王蓓曾翻译过布努诺·恩斯特的一本书《魔镜——埃舍尔的不可能世界》[1]。这本书的作者通过与埃舍尔的来往以及近距

---

1. Bruna Ernst, The Magical Mirror of M. C. Escher, Taschen (1995), 中文译本,田松,王蓓译,上海科技教育出版社2002年）.

离的观察交流，试图解读埃舍尔通过画笔给人们呈现的不可能的世界。然而，作者笔下的埃舍尔似乎与常人没什么两样，甚至广受数学家们热爱的他，数学训练却十分有限，他说道：

> 我的数学从来就没有及格过。滑稽的是，我似乎还不知道怎么回事就理解了数学理论。的确，我在学校里的数学成绩非常差。可现在，好家伙——数学家在用我的版画给他们的著作插图。真想不到，我竟然与这些有学问的家伙一唱一和，仿佛我是他们失散多年的兄弟。我猜他们对我在数学方面的无知肯定一无所知。
>
> ——布努诺·恩斯特：《魔镜——埃舍尔的不可能世界》

这段话释放出来的信息是，埃舍尔没有经过太多的数学训练，并且传统的数学课成绩也并不好。但他却是以一种"直觉"的方式理解了很多人感觉深奥难懂的数学，并且可以用他的画笔与那些"不明就里"的真正的数学家们沟通。这样的现象，除了"天才"，别无它释。

埃舍尔的画从数学的眼光来看，大致可分为拼贴、互耦、螺线、变换、易维、极限、分形、奇空、几何等几方面。

在介绍埃舍尔之前，不得不提他的一位"粉丝"，也是他的一位忘年友，著名的英国数学物理学家罗杰·彭罗斯（Roger Penrose，1931 年— ）。彭罗斯曾写道：

> 我本人对不可能图形的迷恋要追溯到 1954 年，当时我正出席在阿姆斯特丹举行的国际数学家大会……我认识的一位讲师认为我应该对荷兰艺术家埃舍尔的作品展有兴趣……尽管以前我从来没有接触过埃舍尔的作品，但我完全被迷住了，在回英格兰的路上，我决定亲自试一试不可能图形。最后，我发现了不可能三角形，在我看来，它以最纯粹的形式体现了我试图表达的不可能性。
>
> ——布努诺·恩斯特：《魔镜——埃舍尔的不可能世界》

图 5-2 彭罗斯

　　彭罗斯最近出版的书中仍然以埃舍尔的画解释他的数学物理思想。

　　彭罗斯出生于英国一个医生家庭，1957 年被授予剑桥大学博士学位。后在多所大学任教，年轻时就与父亲合作，设计出常人难以做出的几何图形。他提出磁扭线理论的新的宇宙理论。他用复数公然反对物理学的一些主要定理。1965 年，他的以著名论文《引力坍塌和时空奇点》为代表的一系列论文，与著名数学物理学家斯蒂芬·霍金 (Stephen William Hawking，1942—) 用时空拓扑一起创立了现代宇宙论的数学结构

理论。他出版过很多书，最近的一本书是 2004 年出版的《通向实在之路》[1]，经王文浩翻译后由湖南科学技术出版社出版。彭罗斯对数学物理的贡献集中在与爱因斯坦的引力理论相关的问题上，而这些问题都与几何有关。彭罗斯的宇宙论的含义也很独到。他只要用两种简单的基本组合，就能创造出无限的世界。所有的原子世界在任何可想象的有限范围内都显示出惊人的规律性，然而在宇宙范围内则显出独特的不规则性。这种思想在普通人中就是有名的可懂的彭罗斯拼图，这个拼图在电影《盗梦空间》里多次出现。

　　一般几何拼图要具有一定的对称性和周期性，还要用几种不同形状的拼图元素才可贴满整个平面。1974 年，彭罗斯发现了只有两个形状的拼图元素可以旋转对称无周期地贴满整个平面，这种拼图以他的名字被命名为彭罗斯拼图。后来发现这种形状在准晶形态的原子排列中可以找到。准晶体的五重对称性就是这种镶嵌的三维体现。彭罗

1. Roger Penrose, *The Road to Reality: A Complete Guide to the Laws of the Universe Vintage; Reprint edition (2007)*，中文译本，王文浩译, 湖南科学技术出版社 2008

斯猜测到，准晶体的生长的神经元的行为既涉及单引力子判据又涉及量子引力的非定域性。1982 年，以色列科学家丹尼尔·谢赫特曼（Daniel Shechtman，1941 年—）在美国霍普金斯大学工作时发现了准晶体，这种新的结构因缺少空间周期性而不是晶体，但它展现了完美的长程有序又不像非晶体，这个事实给晶体学界带来了巨大的冲击，推翻了许多晶体学已建立的概念。从根本上改变了人们看待固体物质的方式。更有意思的是：科学家们后来证明，准晶体中原子间的距离也完全符合黄金分割率。为此谢赫特曼一人独享了 2011 年诺贝尔化学奖。以彭罗斯的名字命名的还有彭罗斯阶梯、彭罗斯三角形、

图 5-4 牛津大学数学研究所地面的彭罗斯拼图，入口文字：为了自由和追求数学的美

彭罗斯图等概念，这些东西我们都可以在埃舍尔的画里找到。

在这里，我们还要提到另外一位数学家哥德尔。

库尔特·哥德尔（Kurt Gödel，1906—1978 年）是捷克裔数学家、逻辑学家和哲学家。其最杰出的贡献是哥德尔不完备定理。道格拉斯·理查·侯世达（Douglas Richard Hofstadter，1945—）获得普利策大奖的书《哥德尔、艾舍尔、巴赫：集异璧之大成》[1]将

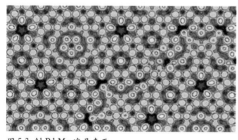

图 5-3 Al-Pd-Mn 准晶表面

1. Douglas R. Hofstadter, Gödel, Escher, Bach: An Eternal Golden Braid, Basic Books (1999)，中文译本，哥德尔·埃舍尔·巴赫集异璧之大成，郭维德等译，商务印书馆，1997.

数学家哥德尔、画家埃舍尔和音乐家巴赫用一条永恒的金带绑到了一起。

巴赫的音乐手稿从图面上看简直就是一幅现代派的绘画作品,我们都可以感受到上面流淌的音乐。侯世达的书分析出巴赫创造的音乐里有着与埃舍尔的画里所描绘的同

图 5-5 巴赫的音乐手稿

构、递归和怪圈。卡农是一种音乐形式,它重复地演奏一个主题,每个音部都比前一个延迟一段时间。巴赫的《音乐的奉献》用了一种特殊的卡农,它有三个音部组成。当最高音音部演奏主题时,其余两个音部提供卡农式的协奏。神奇的是在不知不觉中进行着变调,听众有一种不断增强的感觉,在转了几圈后,听众以为已远离初衷,结果奇妙的变调又回到了原调上。

埃舍尔和巴赫的艺术表现在数学上可以看成一种悖论。悖论是指逻辑学和数学中的矛盾命题,即在逻辑上可以推导出互相矛盾之结论,但表面上又能自圆其说的命题或理论体系,引起各种怪圈,有很古老的历史。公元前六世纪,哲学家克里特人埃庇米尼得斯(Epimenides)说:"所有的克里特人都说谎,他们中间的一个诗人这么说。"因为说话的埃庇米尼得斯是克里特人,假设他说的话为真话,则与他的断言相悖。假设他说的话为假话,则那么"所有克里特人都说谎"就是一个谎言,那么他说的话就应该是真话,又与他的断言相悖,这是逻辑悖论。还有时

空悖论：如果一个人能返回过去杀死了自己童年的外祖母，那么这个跨时间旅行者本人还会不会存在呢？信仰悖论：罗马教廷曾出了一本书，用当时最流行的数学推论导出"上帝是万能的"。一位智者问："上帝能创造出一块他搬不动的石头吗？"范畴悖论：中国古代公孙龙（前320—前250年）在《公孙龙子·白马论》提出的"白马非马"。极限悖论：芝诺悖论——古希腊飞毛腿阿基利斯跑不过乌龟等。这些悖论都形成一个个"怪圈"，自相矛盾。人们过去一直认为这些悖论是利用了某些不易察觉的小漏洞，或者偷梁换柱，或者安设陷阱，都应该可以解决。特别是数学，其大厦应该有一个稳定的基础（公理），康托（Georg Ferdinand Ludwig Philipp Cantor，1845—1918年）的集合论给了这样的基础，所有的数学家都可以在其上添砖加瓦，让其更完美。20世纪初英国哲学家伯特兰·罗素（Bertrand Russell，1872—1970年）提出了罗素悖论，简单通俗地说"只给本村那些不给自己刮脸的人刮脸的理发师应不应该给自己刮脸"的悖论，

从而引发第三次数学危机并使这座大厦摇摇欲坠。但罗素不只是一个破坏者，也是一个修补者。他和其老师阿尔佛莱德·怀特海（Alfred North Whitehead，1861—1947年）写出《数学原理》（*Principia mathematica*）努力维持着这座大厦，大卫·希尔伯特（David Hilbert，1862—1943年）更是要求数学家们按照罗素他们的定义系统既一致又完备地去修建大厦。这就是所谓的希尔伯特纲领。这个梦想被哥德尔打破，哥德尔彻底摧毁了希尔伯特纲领，他指出，没有一个公理系统可以导出所有的真实命题，除非这个系统是不一致的，即存在着相互矛盾的悖论！于是要摆脱"怪圈"这个幽灵的努力是徒劳的。

　　哥德尔的理论很抽象，然而这些"怪圈"，巴赫将其可听化了，我们在下面可以看到埃舍尔将其可视化了。哥德尔递归同构等思想在埃舍尔的画和巴赫的音乐中也时有体现。

拼贴

埃舍尔的许多作品都是拼贴画。1926年，埃舍尔在一次短暂的旅行中来到了西班牙南部的阿拉伯皇宫阿尔罕布拉宫。他深深地着迷于宫中富有音乐韵律感和数学周期性的镶嵌拼贴图。在努力尝试不果后，1936年，他在妻子的陪同下再次来到阿尔罕布拉宫。壁画中那周期性分割中隐藏的丰富可能性点亮了他的创作激情。那段时间，他和妻子日夜临摹那些镶嵌壁画，并带回家后仔细研究。期间他还受到美籍匈牙利数学家波利亚（George Polya，1887—1985年）的启发和影响，经过艰苦探索研究，他终于掌握了镶嵌的窍门。加上应用他所擅长的变形和循环的技巧，融会贯通地表达了许多数学味十足的深刻的哲学思想，得心应手地完成了许多流传于世的精美作品。

在埃舍尔的镶嵌画里，什么都可以嵌在一起，如下一页图《鱼、鸭子和蜥蜴》（Fish / Duck / Lizard，1948年）将海陆空三种动物无缝镶在一起，撑起一个环构的大宇宙。这幅画将两个极端对立物完美地嵌合起来，哲学意味深刻，反映了埃舍尔从阿尔

图 5-6 阿尔罕布拉宫的镶嵌画

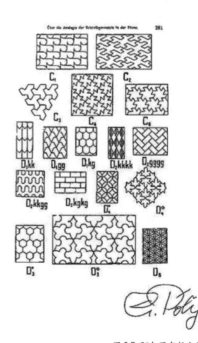

图 5-7 阿尔罕布拉宫的镶嵌画

图 5-8 鱼、鸭子和蜥蜴

罕布拉宫的镶嵌画中领悟和勘透了人生。

　　其实镶嵌拼贴自古就有，最有名的《生命之花》（*Flower of Life*），就是以圆组成的六角结构的图形，这个数学味很浓的图形用作很多宗教符号，最古老的要算古埃及奥西里斯庙（Temple of Osiris）里的雕刻，据说已有 6000 多年的历史。而埃舍尔在拼贴画里加入了许多哲理和人文的元素。

图 5-9 生命之花

互耦

中国古代哲学中的阴阳说就有互耦的思想，太极阴阳八卦图就是一个典型而简单的互耦图形。这个图形已然成为重要的东方符号，甚至可以说是中国人的精神图腾。明代书画家赵孟頫（1254—1322年）的夫人管道升（1262—1319年）所做的《我侬词》用优美的文笔将互耦发扬光大：

> 尔侬我侬，忒煞情多。情多处，
> 热似火。捻一个尔，塑一个我。将咱
> 两个一起打破，用水调和。再捏一个你，
> 再塑一个我。我泥中有尔，尔泥中有我。
> 我与你，生同一个衾，死同一个椁。

埃舍尔对互耦有着独到的感觉，他的

图 5-10 夜与昼

画充满着互耦的隐喻，不仅将互耦直观化，而且表现了互耦的转化过程。

他最出名的画之一是《夜与昼》（*Day and Night*，1938年）。

这幅画的色彩非常简明，一如主题白与黑。画面左右出现了一个镜像但黑白对称的图案，似乎分别代表有城有河有田同一个地方同一种景色的白天与黑夜。但令人称奇的是白天黑夜的过渡却是通过画中元素的变形渐近实现的。特别是那一列飞雁，互耦着穿过画面，把白天和黑夜连接起来，反映了一件事物的两面，隐喻着黑白既对立又依托，在一定条件下互相转换的关系，十分耐人寻味。

李泳在其博客中写了这样一个故事以及他对这幅画的理解[1]：

Douglas（指侯世达）第一次见埃舍尔的画，是1966年1月（20岁），在剑桥大学核物理学家Otto Frisch的办公室里。他一进屋，就被墙上的《夜与昼》（*Day and Night*，1938年）惊呆了（in a flash was bowled over by

1. http://blog.sciencenet.cn/blog-279992-895133.html

a stunning drawing），不过那会儿他只看见两群鸟儿相向飞过，看见它们变形成为黑白的田野，看见镜像的河流和村庄……他想去那乡村小路上溜达。他惊讶那两群鸟儿怎么能"无缝儿地相互穿过"（fly right through each other without even the tiniest space）？没有空气，它们怎么呼吸呢？三维的小鸟(半米长而已)怎么就变成那么大一片（大约 100 米）二维的田野？可见，那会儿 D 同学的心眼儿还很实在，用看风景画的眼睛来看埃舍尔的画。

他问主人，画的什么？Frisch 回答，题目是"夜与昼"，不过我叫它"场论"（Field Theory）。是啊，如果黑白代表正负，它就活脱脱表现了量子场论的 CPT 对称：空间的左右对称、时间反演（夜与昼）对称和正负电荷对称。而且，那非鸟非田的过渡，正刻画了没有坍缩的量子态……

有趣的是，在他的书中，D 没有用这幅画说场论，而是用它来说也许更深层的东西，说禅。老 D 对禅的感觉是不错的：I'M NOT SURE I know what Zen is. In a way, I think I understand it very well; but in a way, I also think I can never understand it at all. 他抓住了禅的可说也不可说的"量子态"特征。他认为，《夜与昼》就很好揭示了禅的这种"背触交驰"（positive and negative interwoven）——从正负的纠结跳出来，就落禅了（见《无门关（Mumoni）》）：

首山和尚拈竹篦示众云：汝等诸人若唤作竹篦则触，不唤作竹篦则背。汝诸人且道，唤作甚么？

无门曰：唤作竹篦则触，不唤作竹篦则背。不得有语，不得无语，速道速道。

颂曰：拈起竹篦，行杀活令。背触交驰，佛祖乞命。

于是，从不同的角度看，我们看到了量子场与禅之间的"背触交驰"。虽然参禅学不会量子场，但量子论的思想是可以用来参禅的。禅说不清楚或不能说的，可以借量子来"模拟"——换句话说，量子论是禅的数学模型。

用互耦画镶嵌是埃舍尔的最爱，他有很多各种各样的镶嵌，表现了对称、守恒和互耦这些数学的基本元素。下面的这幅《骑士》（*Horseman*，1946 年）描述了棕白两队相向却形同的骑马人互耦着将画面完全填满，构成了一幅规整的画面。因为发现在基本粒子的弱相互作用中的宇称不守恒定律，与李政道共同获得 1957 年诺贝尔物理学奖的杨振宁（1922 年—）所著《基本粒子发现简史》一书将这幅画用做封面。

　　埃舍尔最神奇的一幅互耦画可能要算下面的这幅《画手的手》（*Drawing Hands*，1948 年）了。画中两只从二维画布上伸出的在三维空间里对称的持笔的手

在二维画布上互相描绘着。这已经超出了"你中有我，我中有你"的简单互耦，而成了"你正塑我，我正塑你"的互动关系。而这种互动超越了所处空间的维数，升华到了更高维的空间。管道升提到的塑互耦，好像还有个充当第三者的上帝之手在塑，而埃舍尔直接就通过"升维"让二者互塑了。这幅诡异的画把数学中迭代和升维的思想揭示得淋漓尽致。有很多实际问题转换成数学问题，其变量互相搅合，难以解出。但如果把它们放到高维空间里统一考虑，需要的话进行反复迭代，很多事就迎刃而解。这种"升维"的思想在埃舍尔的很多画里都有表现，有着不同的表达目的。

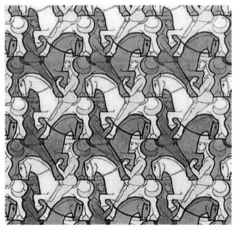

图 5-11 骑士

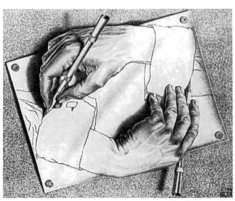

图 5-12 画手的手

螺线

埃舍尔还利用很多奇妙的数学曲线作画，欧拉螺线就是其中之一。

欧拉螺线（Euler spiral），也叫羊角螺线（Cornu spirals）和回旋曲线（Clothoids）。这个螺线美丽而又非常实用。它被美国著名微分几何学家葛瑞（Alfred Gray，1939—1998 年）称为"最优美的平面曲线之一"（one of the most elegant of all plane curves）。它广泛应用于衍射计算并且在铁路和高速公路工程的弯道技术中起重要作用。该曲线开始于原点，以零曲率零斜率向两边延伸，曲率随着其曲线的长度增长而增长，最后曲线收敛于两个镜像点或以这两个镜像点为圆心的圆。

欧拉螺线以大数学家欧拉的名字命名，不是因为欧拉发现了这个螺线，而是因为欧拉彻底解决了这个螺线的数学问题。这个曲线最早在 1694 年由雅可比·贝努利（Jacob Bernoulli，1654—1705 年）从一个弹性力学问题中提出，他写出了这个曲线的近似方程，但并没有解出来，也没有准确地画出来，甚至没有任何数值计算。也许他并没有把这个结果当回事，这个工作也没有发表。贝努利家族是著名的数学家族，三代出过近十名数学家。雅各布·贝努利就是在 12 页提到的生生死死都在和各种螺线较劲，想抱等角螺线升天，却不得不枕等速螺线长眠的数学家。1744 年，他的侄子尼克拉斯·Ⅰ.贝努利（Nicholas I Bernoulli，1687—1759 年）将他关于羊角螺线的工作整理后发表。同年，欧拉写出了曲线准确的参数方程：

$$
\begin{cases}
y = \int_0^t \sin s^2 ds = \sum_{n=0}^{\infty} (-1)^n \dfrac{t^{4n+3}}{(4n+3)(2n+1)!}, \\
x = \int_0^t \cos s^2 ds = \sum_{n=0}^{\infty} (-1)^n \dfrac{t^{4n+1}}{(4n+1)(2n)!}.
\end{cases}
$$

这里的参数 t 也是螺线在该点的曲率 $k(t)=t$。这个曲线的参数形式是以法国工程师和物理学家奥古斯汀·菲涅耳（Augustin-Jean Fresnel，1788—1824 年）命名的菲涅耳积分表达。欧拉还得到其展开式。

37 年后的 1781 年，欧拉利用巧妙的积分变换，找到了曲线的极限点，即将相关的无穷菲涅耳积分的收敛点算出。这螺线的两个收敛中心分别为 $\pm\left(\sqrt{\dfrac{\pi}{8}},\sqrt{\dfrac{\pi}{8}}\right)$

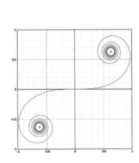 

图 5-13 欧拉螺线　　　　图 5-14 漩涡

　　这么有意思的数学曲线，埃舍尔当然不会放过，他将此赋以另一种人文哲学的含义。右上图叫《漩涡》（Whirlpools，1957 年）。两队红色和灰色的鱼沿着欧拉曲线相向而游，分别从欧拉曲线的一个极限点旋转游出，由小变大，进入另一个漩区后，再由大变小，旋转地游向另一个极限点。寓意不同世界的人擦肩而行，方向却是相反，分别奔向另一方的出发点。这

让我想起著名作家钱钟书（1910—1998 年）"被围困的城堡，城外的人想冲进去，城里的人想逃出来"之名言。不过我更愿意把它理解成两种世界的循环轮回。当然两个世界也可以简单地穿插行进而过，一如鱼鸟在埃舍尔的另一幅画题中的画《两个相交的平面》（Two Intersecting Planes，1952 年）中的行为。

图 5-15 两个相交的平面

　　埃舍尔的"生命轨迹"系列也采用了数学曲线。这次的数学曲线是最漂亮的花状线叫玫瑰线（Rose-rhodonea-curve）。其轨迹方程用极坐标表示是 $r=\sin(n/d)\theta$ 或者 $r=\cos(n/d)\theta$ ，这是一组美丽的曲线，

随着参数 n、d 的不同展现出姿态万千的优美形状。

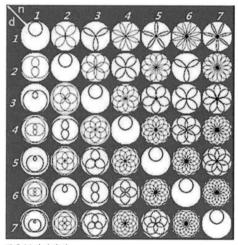

图 5-16 玫瑰线族

也许花代表着生命最灿烂的阶段，埃舍尔选择了这族玫瑰线来刻画生命轨迹。埃舍尔当然不会是根据玫瑰线的轨迹方程来作图，而是根据轨线的状态略作变形，加上动态的鱼和鸟的变形来诠释生命。在《生命轨迹 II》（*Path of Life II*, 1966 年）中，用了玫瑰线在 $d=3$, $n=2$ 时的形状，将四组灰白两色紧密镶嵌的鱼儿从小到大的演化过程描述出来，最后两色鱼融为一体。

在《生命轨迹 III》（*Path of Life III*, 1966 年）中，数学曲线更是强调画出，鸟儿的演化反而成了背景。这次埃舍尔用的是玫瑰线在 $d=4$, $n=3$ 时的形状，也是黑白两色的六组鸟紧密镶嵌从小到大的演化过程，最后虽没有融为一体，却逐渐网格化，彼此边界已难区分。用数学轨线刻画生命轨线，表现了生命美丽而规律，不愧为埃舍尔一绝。

图 5-17
生命轨迹 II

图 5-18
生命轨迹 III

变换

　　变换，是指事物的一种形式或内容换成另一种，而在数学上的含义是指将一种状态或一个空间转到另一个。这种转换形式可以是渐变，也可以是突变；可以是必然，也可以是或然。最简单的变换就是人人都懂的平移、旋转、反射等简单的图形变换。抽象一下，最简单的数学变换形式就是函数，它建立了自变量和应变量之间的关系。我们再往前走一步，从一个函数转换成另一个函数也叫变换。例如有两个函数 $f(x)$ 和 $g(x)$，我们可以构造一个新的函数 $F(x,t) = (1-t)f(x) + tg(x)$，那么我们就可以把这两个函数联系起来了，并且在 $t=0$ 和 $t=1$ 时，$F(x,t)$ 分别为 $F(x,0) = f(x)$ 和 $F(x,1) = g(x)$。而当 t 从 0 变到 1 时 $F(x,t)$ 就从 $f(x)$ 渐变到 $g(x)$。这段话是典型的数学语言，对有些读者来讲有点晦涩，然而埃舍尔却用他的画笔轻松地表现出来了。埃舍尔把这种变换称为变形，通过图形的渐变，把一种东西变成另一种东西，如《变形 I》（*Metamorphosis I*，1937 年）。这幅画将人渐变成一座城市，这里我们可以把 $f(x)$ 看作人，而 $g(x)$ 看作城市。埃舍尔的画完美地复原了这个渐变过程，当然，更复杂的变换还有很多，如傅立叶变换。

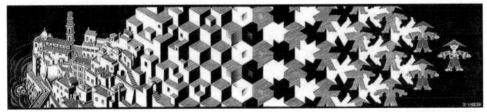

图 5-19 变形 I

　　我们也可以从另一个角度来看这幅画。一个复杂的城市可以由一些简单的形状表示，在数学上这叫作展开。18 世纪的法国数学家傅立叶（Jean Baphiste Joeph Fourier，1768—1830 年）的研究结果表明"不太好"的函数都可用一列简单基本的三角级数的和来表示。傅里叶热动力学数理方程的贡献尤其大，影响深远。

埃舍尔的《变形 II》（*Metamorphosis II*，1940 年）更长，不仅渐变从英文单词 Metamorphosis 开始，通过棋盘、蜥蜴、蜂巢、鱼、鸟、立方、城市、棋盘又循环变了回来到 Metamorphosis，完成了一个周期，而且来回的路径是不一样的。这样的问题在数学上叫"路径依赖"。

图 5-20

这个图片太长，我们把它分解开来就是下面这个图：

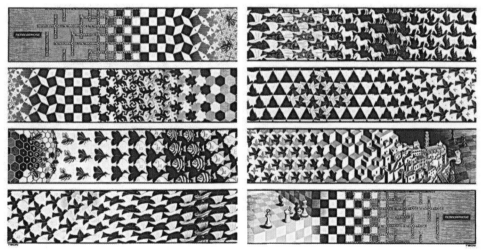

图 5-21 变形 II

如果我们再构造一个函数 $G(x,t)=(1-t)f(x)+tg(x)i$，多了一个 i 虚维度，这时 $G(x,t)$ 是定义在复空间上的一个复变函数，从另一个意义上来说，它连接了虚实两个空间。特别是，$t=0$ 时，$G(x,0)=f(x)$ 是实空间函数，$t=1$ 时，$G(x,1)=ig(x)$ 是虚空间函数。当 t 从 0 变到

1 时 $G(x,t)$ 就从实空间函数 $f(x)$ 渐变到了虚空间函数 $g(x)i$。我们来看埃舍尔是怎样表现的。

图 5-22 天与水

在这幅《天与水》（*Sky and Water I*，1938 年）中，埃舍尔画出了一种渐变，与《变形》不同，这幅画不是物体的直接变形，而是背景与物体同时变形，互为衬托。我们可以把水看作实空间，天看作虚空间。这幅画里的两个空间共存，各有特征，互为背景，通过渐近完成了从实空间的鱼到

虚空间上的鸟的变换。两个空间的两种生物以这样的形式连接起来，真是"海阔凭鱼跃，天高任鸟飞"。

变换有时表现出一种突变的形式，也就是说当物体满足了某种条件后就会变成另一种状态。这样的现象在数学物理中叫"相变"。我们来看看埃舍尔是如何表现相变的。

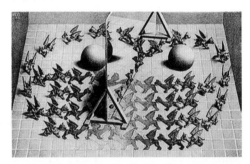

图 5-23 魔镜

埃舍尔在《魔镜》（*Magic Mirror*，1946 年）中，通过镜面将世界分为了真实世界和镜像世界两部分。如果只是如此，倒也没什么特别之处，我们每天照镜子，知道镜子里面的人就是这个世界里"我"的像。如果镜面足够平，这个"像"除了

左右颠倒，是完全反映了真实世界里"我"的面貌。当然，埃舍尔并没有止步于此，他让镜前真实世界里有一群运动着的长着翅膀的爬行小生物，而且他还画了一个镜子背后的世界。镜前小生物的运动线路很诡异，它们好像是是从镜子里面爬出来，绕了一圈，又以渐变的方式进入镜子背后的世界。同时，镜子背后的世界才是真正的"像"世界，与镜前的世界完全对称，好似虚世界不只是在二维的镜面上，而是有一个与真实世界一样的三维空间，它们的界面就是镜面。有意思的是渐变过程，过了镜面以后，方向不变的小生物的颜色黑白相易了，也就是说虚实交换了，这反映了"虚"和"实"相对的辩证关系，在虚世界，实空间里的虚像是实的，而实空间里的实像在那里是虚的。这种现象在数学中称为"共轭"，而数学中映射与反映射，互为映射对方的像空间是很普遍的。镜面的二维世界和真正的三维"像"世界通过那只球反映出它们的差异。埃舍尔以这样一种现实生活中常见却超常的方式图示了

相变、共轭和反射等数学概念。这样的作品怎能不让那些自视清高，生活在抽象世界里的数学家们抓狂呢？

图 5-24 解放

这幅画叫《解放》（*Liberation*，1955年），描述了一群飞鸟从二维到三维，从束缚到自由的过程。这幅画从一个卷轴开始，卷轴上开始是一些镶嵌的平面三角形。埃舍尔应用他熟练的渐变技巧，将其慢慢变成了鸟形。开始时，这些鸟紧嵌在一起，慢慢地它们之间的制约越来越弱。在跨过一个隐约可见，灰白相间的界面后，二维的鸟忽然挣脱束缚，变成三维的鸟飞向空中，并且越飞越远。以数学和物理的视角看，如果把鸟看成物体的分子，这幅画活脱脱地诠释了物体从固态到气态（过渡过程是液态）的相变过程。画中由下至上，"温度"逐渐升高。开始时反映能量的"温度"很低，几乎没有热运动，分子束缚于晶格中，物体为固态。随着"温度"的上升，热运动愈演愈烈，分子获得的能量也逐渐增多。当能量足够大时，晶格被彻底摧毁，热运动打破了分子间的束缚，物体变成自由的气态，分子们得以"解放"。在数学上，两个状态分别满足两个数学过程。这两个过程通过在相变面上满足一定的条件连接起来。如果相变面还与未知

的状态函数有关，那么这就是数学中的自由边界问题。从数学的观点看，如果高维函数维度之间联系很弱，是可以通过降维的技巧加以考虑。而上述的固态相比就比气态更有可能降维，埃舍尔直接将固态画成降维状态，不能不说作为艺术家的他的确有驰骋于数学物理世界的"直通车"。

我们很多人都见过哈哈镜，看着镜中各种扭曲变形的自己之像会忍俊不禁。这种现象是镜面凹凸不平所致。换句话说，我们看到了在另一个弯曲扭曲空间的自我形象。尽管变了形，但那个形象仍然保持着我们的很多特征。在数学上我们把两个空间的对应叫做变换，那么有什么样的特征在什么样的变换下保持不变呢？例如保角变换，共形变换等，这些正是拓扑学研究的问题。

埃舍尔娴熟地应用各种变换技巧，使得他的画充满着哈哈镜般的喜剧效果。他的画作《阳台》（*Balcony*，1945年），通过局部的球形变换，突出了整个建筑物中一个阳台。阳台上还有一盆放大的看起来有一两层楼高的盆栽植物。这盆植物起着画龙点睛的

作用，使画面充满生机。这幅画使人感觉阳台是吹大的，而阳台门就是吹气口，现实生活中当然不可能有这样的建筑物，画中的建筑更像童话中的城堡。这也许表明埃舍尔具有超强的想像力和至纯至朴的童真情怀。然而从冷峻的数学眼光看，这只不过是对普通的建筑物作了一次小小的变换。后来，很多建筑家从埃舍尔的画中找到灵感，加上理论

图 5-25 阳台

和计算机的发展，使得在实际中建造扭曲建筑成为可能。

　　在数学的变换对应中，将高维空间的函数映射到低维子空间上叫投影。同样的函数在不同的子空间上会得到不同的投影。中国古代"盲人摸象"的谚语就是这个意思。平面是三维空间的子空间，我们也可以把球面看作是同一个三维空间的另一个子空间。有一种一对一的变换将整个平面加上无穷远点变换到了整个球面上。在复变函数里我们把这样的平面称为复平面，这样的球面称为黎曼球面。在下面的名为《手持反射球》(*Hand with Reflecting Sphere*，1935 年)的画中，埃舍尔用画笔在球面上把自己的自画像投影出来，特别寓意自己独立特行，超越平庸的特性。自画像一般是将自己三维的形象投影到平整画面上，如同在平整镜面上看到的自己。而埃舍尔拿着一个球面，将平整镜面的像投影到了球面上，并把自己的形象以及背景都在球面上反映出来。有趣的是，画面本身是一个二维的平面，埃舍尔利用如透视、光线等绘画技巧画三维空间里弯曲的球面，再在

球面上画投影，然后把这个弯曲球面再投影到平整的二维画面上，顺便通过景弯把平面画拉向纵深。在这幅画中，有不小的篇幅画了只托球的手，让人联想到作者作画的手，好像这只手边作画变伸进了画面，伸进了另一个空间，而这只手在球面中变换最大，甚至大过了人体，对比格外强烈。除了手和埃舍尔本人，还有他背后的环境。从理论上讲，这个影射可以把整个世界映在球面上。不仅如此，埃舍尔还在不同的曲面上画过自己的自画像。埃舍尔利用高低维之间的奇性和异质，玩这样的游戏乐此不疲。

埃舍尔在另一幅反射画《球镜的静物画》（ *Still Life with Spherical Mirror* ，1934 年）里，从另一视角反射了自己，反映了画家对球面映射的精准把控。他还有一幅人面鸟雕塑画，站在如哈哈镜般的镜面前看着在镜子中被挤到边缘的自己。

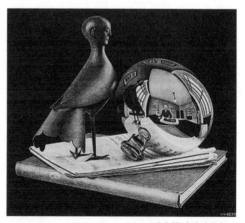

图 5-27 球镜的静物画

图 5-26 手持反射球

易维

我们生活在三维空间加一维时间的世界里，在刘慈欣的著名科幻小说《三体》里，易维贯穿于全书，延伸到全宇宙，全时间，用神了。埃舍尔则在画面上表现它。也许欣赏了埃舍尔的画，就更能体会《三体》的奥妙。

刚性的维数在埃舍尔手中好像是一个团面，可以任意拉伸扭转。画家通过二维平整的画面应用绘画技巧去表现三维的世界已不是新鲜事，他们利用人们的视觉幻象，在画布上逼真地表现三维世界，并毫不掩饰地号称绘画就是欺骗的艺术。而赏画者也甘心"受骗"，并且被骗越深越高兴。埃舍尔却并没有只是满足于骗骗观画者，他利用二维画三维的矛盾和诡术，在想像的空间里表现各类不同维的空间和它们的不可思议的魔法变化。除了前面提到的《画手的手》和《解放》，他还做了很多探索。

《三个球面》（*Three Spheres I*，1945 年）就是埃舍尔变的维数戏法之一。这三个简单的几何体，号称是球面。对于最上面的那个，通过经纬线，观画者都没有疑问，认可是个球面，可忘了那只是一个在二维平面上画的球面。埃舍尔把这个球面折了一下，经纬线做了相应变动，然后将其放到了中间，观画者看到了一个半球面，仍然没有意识到这个半球也是在二维平面上。埃舍尔接着带观画者玩，继续压那个球面，直至它成了一张皮，

摊在桌子上，观画者这才看到最底下的那个是一个二维的圆，可这个二维圆却在一个三维空间里，更像是三维球面在一个三维桌的桌面上的投影。观画者还是没有从那个埃舍尔营造的三维空间里走出来。我们几乎可以感觉到画面背后的埃舍尔在捉弄完人后得意地坏笑。

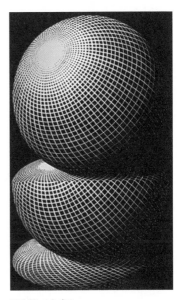

图 5-28 三个球面

《三个世界》（*Three Worlds*，1955 年）是埃舍尔在另一个方向的易维探索。还是二维的画面，画的是一个三维的池塘，重点是二维的池塘水面，却在这个水面上画出了三个世界：第一个世界是池塘外的世界，这个世界通过池塘边的树反射在池塘水面上，是外面三维世界的二维幻象；第二个世界是池塘表面的世界，这个世界通过外面世界掉到水面上飘浮的落叶而证明了其存在性，是个实实在在的二维世界；第三个世界是水底的世界，通过水面透视，我们看到了水底的鱼。那是个水底三维世界在二维水面上的投影。所有的物体互不干扰地在自己的世界里自由发展。那两个水里水外的三维世界，画中都没有直接表现，都是通过它们在水面上的像来推测，像极了我们的科研——通过表象探索实质。而画却利用水面交互，将这三个世界融合，共同形成一个大世界。

埃舍尔是玩穿越的大师。在他眼里，二维和三维空间只不过是可以互相穿越循回的两个世界。这个想法在他的作品《蜥蜴》

图 5-29 三个世界

（*Reptiles*，1943 年）里表现得淋漓尽致。在这幅画中，我们看到一列灰色的蜥蜴先升头，后收脚，从埃舍尔标志性的二维黑白灰三色蜥蜴镶嵌图中爬出，来到三维世界，先爬上一本隐喻理论的动物学的书，爬过一个寓意作为理论和实际桥梁的平面几何三角形，爬上一个暗示理想实际的立体几何正十二面体，打了一个喷烟的胜利响鼻，接着跳进一个装满世俗物品的铜钵，再跳到桌面上，将头伸进原来的那幅二维画，进入了二维的另一个世界，完成了一个周期。埃舍尔说："有一次，一位妇女在电话里对我说'埃舍尔先生，我对您的作品完全着了迷。您的版画《蜥蜴》把轮回再生的过程描绘得那么生动。'我答道，'夫人，您要是那么认为，那就那样好了。'"这段对话埃舍尔技巧地回答了"粉丝"的提问，并赋予了"粉丝"再创造的权利。"轮回"也许不是埃舍尔的创作本意，但"轮回"的确是一种很好的解读，那么用数学的眼光看是什么呢？ 是循环迭代。而这在数学证明和现代计算机技术里经常使用。著名电影《盗梦空间》里一层层地进入梦境然后闪回的思想大概也源于此。如果有机会将这个意思说给埃舍尔听，不懂计算机的他一定也会说"那就那样好了"。

　　更深一步，我们在这里看到了物理中的一个概念：量子涨落，量子力学的不确定性原理允许在全空的空间（纯粹空间）中随机地产生少许能量，前提是该能量在短时间内重归消失。产生的能量越大，则该能量存在的时间越短，反之亦然。当我们测量能量和时间时，测得的能量越准确，那它存在的时间就越不确定；反之，知道得越精确，那涨落涉及的能量就越不确定。这些从二维平面"冒出"的蜥蜴，最终回归嵌紧的平面，人们也只能从它的"响鼻"中"不准确"地测出它的存在。

　　李泳对这幅画也有独到的见解：

我们说过 Escher（埃舍尔）的《夜与昼》很好刻画了量子场论的基本特征（特别是 CPT 对称），其实，把"场"画得更活泼有趣的是他的"爬行动物"（Reptiles，据说是美洲蜥蜴）。

画面的情节是小蜥蜴在 2D 和 3D 间出没，这令人联想生命的诞生和消失。更进一步说，它表现了"形态发生场"（morphogenetic field）的演化。有个西方艺术家说，从这儿看见了东方神秘主义的 void-matrix。matrix 在这儿指万物之源，那么，void-matrix 该是"无中生有之源"；虽不知它对应于佛家的哪个词儿，却真心代表了量子场的真空涨落。

不过，我们更该留意的是平面蜥蜴们"相依为命"的镶嵌模式 (tessellated pattern)。镶嵌图是埃舍尔常玩儿的游戏。他 1936 年游西班牙时对阿尔罕布拉宫 (Alhambra) 的镶嵌图发生了兴趣，从那儿发掘了"灵感之源" (the richestsource of inspiration that I have ever tapped)。他还跟大数学家彭罗斯 (Roger Penrose) 学过镶嵌图，他说数学家只关心镶嵌模式的理论，就像打开了花园的大门却不进去，而他的兴趣就是走进花园。无论小蜥蜴还是小鸟儿，对他来说只是一个符号，一个"生成元"，越是复杂的图形，越能体现画家的想象和技艺，当然更重要的还是用它来生成一个奇幻的图景。单个爬行的小蜥蜴本没有什么对称性，这儿是 3 只蜥蜴组成一个元，然后"爬满"整个面，以另一种方式重现了《夜与昼》的对称性。不同的是，黑白鸟儿相向飞行，飞向无限远，也许在无限远处重逢；而小蜥蜴们去更高维的空间溜达了一圈儿，然后回到平面的老家。

在《夜与昼》里，黑白的鸟儿化为田野，田野飞起鸟儿，是通过连续的形变实现的。可在小蜥蜴的家园，3D 生命是从镶嵌的空隙里生出来的。这个景象可与大物理学家狄拉克 (P. A. M. Dirac) 的正电子图景类比：小蜥蜴从 2D 爬出来，会在原来的位置留下空缺，犹如电子从负能态跑出来留下空穴，那空穴便成为新的正能量的正电子。同样的情景也出现在"黑洞蒸发"中：从虚空生出一对粒子，负能量的粒子落进黑洞，正能量的粒子从视界跑出来。

二维的模式蕴涵了三维的生灭，犹如一幅"全息图"，而黑洞恰好是"全息"的，因为它的一切性质都藏在它的视界（"表面"）。物理学家也用全息的观点来看我们的宇宙，他们发现空间的（超）引力对应于边界的场论：假如两个初始能量相同的光子从不同的位置向边界靠近，离边界远的光子需要克服更多引力才能到达边界。于是，两个光子会在边界留下不同的"影象"——这是不是那些不同深浅的蜥蜴影子呢？

埃舍尔的图画为我们呈现或隐藏了无限的数学物理景观，刺激着我们无限的好奇和想像：看那循环的瀑布，想像永动机是不是能在高维空间实现；走进他的回环的画廊，不禁想知道如何趋近画中央的奇点……爱因斯坦说理论决定我们看见了什么，同样，数学的眼睛决定我们怎么看埃舍尔的图画。清人谭献（复堂）说"作者之用心未必然，读者之用心何必不然"（《复堂词录序》），读埃舍尔的画，须同时胸怀"理论之眼"和"读者之心"。脑子里概念多了，看他的画才会有味。今天我们从他的画里读的东西都是数学物理带来的，明天他的画或许真能给我们带来新的数学物理图景。

在作品《相遇》（*Encounter*，1944 年）里，埃舍尔穿越玩得更起劲。这回，不是一列，而是两列，只不过一列是白人，另一列是黑猿，不过作为贯穿上下的背景墙的二维空间仍然是埃舍尔标志性的富有韵律感的周期性镶嵌图。白人和黑猿紧嵌着，

图 5-30 蜥蜴

互为存在，互为衬托，然后他们分道扬镳，分别从两侧由二维画里走出来。埃舍尔为了体现与画对应的三维空间，特地在视觉与画垂直的中间画了一个圆边平台。走出来的两列沿着平台边缘，保持着镶嵌画中的姿势前进，居然在圆的另一边相遇握手了！这幅画让我们联想很多：是合久必分，分久必合？还是殊途同归？抑或是缘分天定？在一个世界里对立的双方是可以在高维世界里对话的，用数学的话说就是低维空间里的元素在高维空间里会有别样的性质，会有另一番作为。据说这幅作品第一

次印刷时，画商不敢卖，因为那小白人像极了很受欢迎的荷兰总统科莱恩（Hendrikus Colijn，1869—1944 年），说明埃舍尔在严肃的理性思考中不忘调侃一把现实。

图 5-31 相遇

莫比乌斯带（Mobius Strips）是数学拓扑学中的一朵奇葩。1858 年，德国数学家莫比乌斯（Mobius，1790—1868 年）发现，把一根纸条的一段扭转 180 度后，再与另一段粘上，形成的纸带圈具有魔术般的性质。这样的纸带只有一个面，一条边，一只小虫可以爬遍整个曲面而不必跨过它的边缘。这种纸带就被称为"莫比乌斯带"。这个带子的奇特之处在于它本身是个二维面却只能在三维空间里展示自己的特性，如果硬要把它

按在二维空间里，它只能自己穿越自己了。所以有人称它完美地展现一个"二维空间中一维可无限扩展之空间模型"。

埃舍尔并不是一开始就想到莫比乌斯带的。他说："1960 年，一位英国数学家（我已经记不起他的名字了）劝我作一幅莫比乌斯带的版画。而那时我对这个东西还几乎一无所知。"然而莫比乌斯带好像就是埃舍尔带，专门为埃舍尔所生，专等埃舍尔赏识，一旦埃舍尔发现了它，它立即就成了埃舍尔的主题。埃舍尔不仅画各种莫比乌斯带，却并不拘泥于典型的莫比乌斯带。他将其与自己擅长的镶嵌画融合，探索各种可能，达到了形形色色的奇妙效果。

下面这幅画和我们在"互耦"一节中提到的画同名，都叫《骑士》（Horseman），也都在 1946 年完成，不过那幅画是水彩画，这幅是木刻。埃舍尔试图在二维空间里表现莫比乌斯带，但他巧妙地避开了穿越，而是用两个半周的莫比乌斯带通过一个平面连起来。带子上正反两面行走这同向却反色的骑士。本来在莫比乌斯带走的骑士

走遍带子的两面都不可能改变颜色，但通过这个连接的平面，互为反色的骑士却通过埃舍尔最拿手的镶嵌而易位了！同工异曲的还有他的木雕《天鹅》（*Swans*, 1956年）。这回带子是条假的莫比乌斯带，只是在带子扭结的地方埃舍尔用它拿手的拼接将正反两面的黑白天鹅拼了下。

我们再来看埃舍尔的《莫比乌斯 II》（*Mobius II*, 1963 年）和《缠着魔带的立

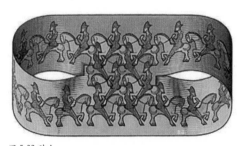

图 5-32 骑士

图 5-33 天鹅

方体》（*Cube with Magic Ribbons*, 1957 年）。前一幅画的是典型的镂空的莫比乌斯带。通过绘画技巧，在二维画布上营造一个三维空间，并在三维空间上通过一对红蚁展示莫比乌斯带的奇妙特性。这队红蚁有 9 只，队伍无首无尾，却一个连着一个，沿一个方向行进，布满了带子的两面，尤其诡异的是，红蚁和它的有序的队友可以肚皮贴着肚皮，相向而行，永远没有终点。后一幅画埃舍尔利用二维对三维的视力错觉让那个缠在三维立方支架上的带子看起来好像是两个相套又分离的莫比乌斯带，又好像这两个带子是粘在一起的。带子上面连续嵌着的个个圆台好像是凸的又好像是凹的，让人玩味。

如果莫比乌斯带是 "二维空间中一维可无限扩展之空间模型"，那么克莱因瓶就是 "三维空间中二维可无限扩展之空间模型"。在数学中，克莱因瓶（Klein bottle）是指一种无定向性的封闭曲面，却没有 "内部" 和 "外部" 之分。这个瓶的结构在我们可见的三位空间里的素白描述

图 5-34 莫比乌斯 II

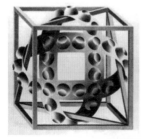

图 5-35 缠着魔带的立方体

是在一个瓶子底部有一个洞，延长瓶子的颈部，并且扭曲地进入瓶子内部，然后和底部的洞相连接。和普通的杯子不一样，这个物体没有"边"，它的表面不会终结。它也不同于气球，一只小虫可以从瓶子的内部直接飞到外部而不用穿过表面。克莱因瓶最初的概念是由德国数学家菲利克斯·克莱因提出的。克莱因瓶和莫比乌斯带非常相像，同样是二维曲面，莫比乌斯带把普通曲面的两面变成了一面，还保持着一条边，而克莱因瓶不仅只有一面，连边也消灭了。不过克莱因瓶在三维空间里也展示不了其特性，只有在四维空间里才可以，比莫比乌斯带要求的维数高了一维，也有人称其为高维的莫比乌斯环。如果我们一定要把它展现在我们生活的三维空间中，我们只好让它穿越自己，就像我们强求莫比乌斯带在二维空间里展现一样。事实上，克莱因瓶的瓶颈是穿过了第四维空间再和瓶底圈连起来的，并不穿过瓶壁，也就是说克莱因瓶是一个处于四维空间中的曲面。

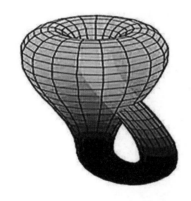

图 5-36 克莱因瓶示意图

　　埃舍尔在他画面上的维数戏法已不满足于在我们熟悉的二维和三维空间里玩，而是直指更高维。莫比乌斯带已不够埃舍尔折腾，那么克莱因瓶就是下一道菜，当然高维物体如果不像达利那样在低维空间里展开，埃舍尔想要在二维画面上做这道菜实在是有些勉为其难了。

　　而下页的这幅版画《龙》（Dragon，1952 年）就是埃舍尔的高维尝试。画面上那条有点疯狂的反叛龙用武装到牙齿的嘴巴咬住了穿过了自己身体的柔软的尾巴，整个形象像极了一只克莱因瓶。只不过龙的嘴巴只是咬住而没有超越现实地无缝连

接起来使之成为一个完整的克莱因瓶。但作为艺术表现，埃舍尔已达到了目的：这条反叛龙如果身体完美无伤，那它就只能存在于四维空间里，而埃舍尔想在二维空间里表现它已经是黔驴技穷了。在二维画面上，我们甚至可以看到龙的翅膀和身体上的两个裂口，它们暗示着这条龙只是一条具有二维画面的三维龙在二维平面上展示其在四维空间里的扭转。或许这两个裂口是埃舍尔的有意为之，想表达处于低维空间里对刻画高维物体的局限。有意思的是，龙本身就是一个想象的生物，用一个想象的生物描述一个想象的高维空间，这不能不体会到埃舍尔的良苦用心。

　　《螺旋》（Spirals，1953 年）是他进行高维的另一种尝试。盘旋的螺线由外到里，无始无终。

　　在二维平面上画三维的物体本来是几乎所有画家都在干的事，但埃舍尔却不仅仅满足于此，他探索着通过别样的降维方式来表达高维的东西。我们先来看一幅叫作《波面》（Rippled Surface，1950 年）

图 5-37 龙

图 5-38 螺旋

图 5-39 波面

的木刻。画面非常简单，画的是带波纹的二维水面。这幅画并不直接在二维画布上画太阳、树和池塘等三维场景，而是通过带波纹的水面反映这些东西。而水面上的两个波环一强一弱达到了一种动感的效果，所以埃舍尔实际上通过二维水面表现了三维空间加上一维时间的一个四维情景。太阳和树枝一远一近的外观影像使得画面表现的这个四维空间尺度拉得广阔而深远。而那波环扭曲了太阳和树枝的影像，暗示着在我们所处的低维空间里看到的高维空间的某些东西影像也许并不是它们的原像，而是受到了某些干扰后的形象，这提醒我们观察事物时应摒除和避免主观的武断、狭隘和偏见。

人的思维是几维的？不知道，那实在太丰富了。但产生思维的脑袋是三维的。俚语常说，我又不是你肚子里的蛔虫，我怎么知道你在想什么？而事实上，即便肚子里的蛔虫钻进了某人的脑子，蛔虫也不知道这人的脑子在想什么。那么既然不知道三维的脑子在想什么更高维的主意，那怎么画出来呢？埃舍尔竟然通过降维来探求表述。

下面这幅画叫《连体》（Bond of Union，1955 年），两个三维的男女脑袋

图 5-40 连体

图 5-41 巴比塔

被异化降维成了连在一起还纠缠交错的封闭二维带子。但却强烈地表达出一种亲密、交融、一致、相连、同生、共存的信息。而这个带子的背景空间又是那么空灵，好像在茫茫的宇宙中。真不由让人感叹，什么叫心心相印，什么叫海枯石烂！

埃舍尔还通过隐喻的形式表现我们所不可及的高维空间，这在他早期的画作《巴比塔》（*Babel*，1928 年）中就表达了这个思想。《圣经·旧约·创世记》第 11 章宣称，当时人类联合起来兴建希望能通往天堂的高塔——巴比塔；为了阻止人类的计划，上帝派使者下凡混乱了人类的语言使之不能沟通，计划因此失败，从此人类各奔东西。

这幅画用一个特殊的透视技巧，将视线从上而下聚焦在地面上，即从鸟瞰的角度看着正在兴建中的巴比塔，好像是从上帝的眼光审视人类的工作。也许在埃舍尔看来上帝所处的空间比人类所处的空间更高维。所以上帝可以让处在三维空间的人觉得他处处在却处处不可捉摸。从埃舍尔玩过的那么多维数游戏中可以感到，埃舍尔一直在尝试扮演掌控维数的上帝。回到人类生活的空间，那基本生活在地面上，这样人们就自然而然地认为要升高维空间就只能往高处去，所以他们可以建造通天高塔以求可以进入天堂。这个想法中外文化都是共有的，只不过在中国文化中，上帝换成了神仙。但上帝只是轻易地将人们的语言搞乱就让人们的全部努力付之东流。在埃舍尔的这个高塔上我们可以隐约看到不同肤色的人，好像有人在工作，有人在拆台，形不成合力继续建造高塔。这是不是隐喻语言就是人类打开偏见，进入高维空间的钥匙？

　　埃舍尔的另一幅画是一个相反的角度反映了同样的思想，即将视线聚焦在天顶上。这是他为荷兰藏书票俱乐部制作的小幅木刻，木刻下面刻了一排字"我们会出来的"。这幅画中的两只手孔武有力，正沿着类似地井的隧道，艰难地向上爬。井口外有一个支架、水桶，更远处有房子、树。视线可以一直延伸下去到天际那云鸟飘逸的方向。当然从作画的时间上看来，这幅画可以说是反映二战后人们渴望自由的努力。但结合上一幅画，我们也似乎看到，这反映了埃舍尔升维的期盼——从一维的隧道升到三维空间，乃至更高维空间的不懈努力。

图 5-42 我们会出来的

极限

下面两幅画，左边的叫《圆之极限 III》（*Circle Limit III*，1959 年），右边的叫《越来越小》（*Smaller and Smaller*，1956 年）。画题就点明了极限。

图 5-43 圆之极限 III

图 5-44 越来越小

极限的思想很早就有，我国古代的庄子（前 369—前 286 年）在《庄子·天下篇》记载"一尺之棰，日取其半，万世不竭"，这反映了其朴素的极限思想。而刘徽（225—295 年）在《九章算术》说 "割之弥细，所失弥小， 割之又割，以至于不可割，则与圆周合体，而无所失矣"将极限思想通过"割圆术"应用于实际，其后的祖冲之（429—500 年），更是由此将 π 算到了世界领先的小数点后七位。极限的概念在数学上的精准刻画是在 18 世纪随着数学的微积分学科的完善由柯西和魏尔斯特拉斯等人严格阐述而完成。它指的是变量在一定的变化过程中，从趋势上来说无法控散或者逐渐稳定的变化过程，前者称为发散，后者称为收敛，其所趋向的值称为极限值。在现代的数学分析中，几乎所有基本概念如连续、微分、积分都是建立在极限理念的基础之上，也就是说极限就是高等数学微积分的灵魂。

庄子是在一维空间里的棰子上诠释微积分中极限无穷小，而埃舍尔则是在二维画布上描述极限。他画过很多极限图，上面的图是典型的两幅。它们分别通过一个圆形和一个方形，用埃舍尔最喜欢的动物鱼和蜥蜴来表现越变越小，分别收敛到边缘和中心。因为在二维空间里，极限一般是一个二维空间里的一维曲线，也可能退化到一个点。在左图中极限是圆边周，在右图中极限是中心点。

尽管在计算机发达的今天，人们很容易通过程序来画出类似的图形。但想想埃舍尔那没有计算机的时代，埃舍尔能预想到计算机的功能，好像他有"预见实现"的天才。

分形

分形是很近代的数学思想，它表达了具有以非整数维形式充填空间的形态特征。尽管分形思想的雏形自古有之，1895 年，魏尔斯特拉斯创造了具有"处处连续，点点不可微"性质的被誉为分形鼻祖的曲线，其函数的表达形式为：

$$f(x) = \sum_{n=0}^{\infty} a^n \cos(b^n \pi x)$$

随后豪斯多夫维数[1]=log4/log3 ≈ 1.262 的科克曲线（Koch curve）和豪斯多夫维数 =log3/log2 ≈ 1.585 的谢尔宾斯基三角形（Sierpinski triangle）分别于 1904 年、1915 年被瑞典数学家科克（Helge von Koch，1870—1924 年）和匈牙利数学家谢尔宾斯基（Wacław Sierpiński，1882—1969 年）构造出来。随着 k 的增加，科克曲线长出了一朵漂亮的雪花，而谢尔宾斯基三角形则成了一座"空中楼阁"。

1942 年荷兰数学老师波斯曼（Albert E. Bosman）用勾股定理构造出毕达格拉斯树。但长期以来，具分形特点的几何体一直被认为只在人们的想象中存在。直到 1967 年，数学博学家芒德勃罗（Benoit B. Mandelbrot，1924—2010 年）在美国《科学》（Science）杂志上发表题为《英国的海岸线有多长》的论文，才把分形从象牙塔中请了下来，告诉人们英国的海岸线可以无限长，不可以用欧几里得几何度量。人们惊讶地发现，分形几乎到处存在。

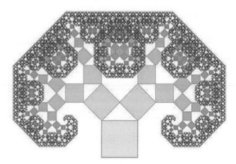

图 5-45 毕达哥拉斯树

---

1. 豪斯多夫维数（Hausdorff dimensio）又称为分形维数（fractional dimension），它是由数学家豪斯多夫（Felix Hausdorff，1868—1946 年）于 1918 年引入的。通过豪斯多夫维可以给一个复杂的点集合比如分形（Fractal）赋予一个维度。对于简单的几何目标比如线、长方形、长方体等豪斯多夫维等同于它们通常的几何维度或者说拓扑维度。通常来说一个物体的豪斯多夫维不像拓扑维度一样总是一个自然数而可能会是一个非整的有理数或者无理数。

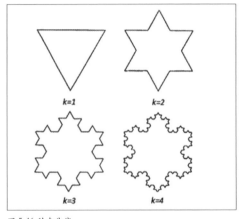

图 5-46 科克曲线

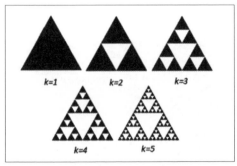

图 5-47 谢尔宾斯基三角形

一门热门的数学学科，并衍射到许多其他科学学科。

分形一般有以下特质：

· 在任意小的尺度上都有精细结构

· 不规则，难以用传统欧氏几何的语言来描述

· 具有自相似形式

· 一般地，其分形的豪斯多夫维数会大于拓扑维数

· 在多数情况下有着简单的递归定义

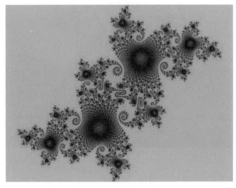

图 5-48 与芒德勃罗分形相关的朱莉娅集（Julia Set）

1973 年芒德勃罗首次提出分形（fractal）一词，以此来表达其具有不规则、支离破碎等意义，并创立了分形几何理论学科。之后随着计算机的发展，分形成为

1972 年就去世了的埃舍尔应该不知道什么是分形，然而在他的画里，我们已经

可以捕捉到分形的思想。尽管埃舍尔的大量作品不乏有自相似、递归等分形特点，要真正算上符合分形定义虽然不多却已经光彩夺目。

图 5-49 刺花

上面的这幅画叫《刺花》（*Prickly Flower*，1936 年）。这实际上已是一幅典型的分形画。那花边的毛毛刺刺连起来恐怕比英国的海岸线还要长。

如果说埃舍尔画《刺花》还只是"碰巧"画了一个具分形特点的花，那么下面这幅《露珠》（*Dewdrop*，1948 年）就能直接触摸到画家的分形思想。画中叶面上有一滴水，除了反射和叶脉结构类似的窗户，还像一个显微镜。通过这个水滴，作者让我们看到了叶子更细微的结构，这种结构就是不规则叶脉递归的自相似性，越来越小。很多年后，当计算机可以模拟出了相似的图形后，再回来看埃舍尔的这幅作品，不能不佩服他那超越时代的分形感悟。

图 5-50 露珠

奇空

埃舍尔最引起人们痴迷的是他那在二维画面上利用错觉、多焦和数学抽象等多种手段将一个个不可能的奇空表现出来，把各种哥德尔"拯救"的"悖论"图示出来，反映了他深刻的哲学思想力，超常的空间想象力和非凡的艺术表现力。到了埃舍尔的晚期，他的这种能力更达到了出神入化的地步。

图 5-51 楼梯的房子

《楼梯的房子》（*House of Stairs*，1951 年）就是埃舍尔奇空的代表作。画中有好几个口，这些口可以是入口也可以是出口。楼梯像一团乱麻连接这些口，辗转迂回，缠绕不休，楼梯上还有一群埃舍尔创造的机械虫在这些楼梯迷宫上盲目地爬行。在数学上，我们称之为无序过程。今天，有时我们在城市的高速公路立交桥群边也有这样的感觉。

作为对比，我们来欣赏一幅更早期皮纳奈兹（Giovanni Battista Piranesi，1720—1778 年）的《吊桥》（*Carceri Plate VII–The Drawbridge*，1745, reworked 1761 年）。这幅先驱图已经有些超空间的意思了。

埃舍尔有很强的空间把控能力。埃舍尔早期的木刻作品《静物和街道》（*Still Life and Street*，1937 年）已经显示出埃舍尔捏合不同空间的能力。画面画了两个实际空间：屋内的和屋外的。传统的画用个窗口把两个空间分开来，而埃舍尔的这幅画却把窗户革除了，直接用交接物体的双重定义把它们粘到了一起。例如屋里的书本是屋外的建筑物，屋里的那个装扑克牌的容器像是屋外的一个岗亭，而屋里的桌子直接和屋外的街道成为一体。屋里主人公并没有出现，但桌面上的那些书本、纸牌、火柴和烟斗那些静物隐喻着主人平静的生活。然而街道上熙熙攘攘的人群应该是吵闹的，但由于比例的悬殊，反而更衬托了屋里的平静。

上下颠倒错位，常是埃舍尔爱玩的把戏。

图 5-52 纳奈兹的《吊桥》

图 5-53 静物和街道

图 5-54 多利安柱体

图 5-55 上和下

《多利安柱体》（*Doric Columns*，1945年）就是这样的作品。画中两个相连的古希腊石柱，一个顶天，一个立地，反转上下。如果我们把眼光放远到大宇宙就会明白，在那儿就是无所谓上下的。我们的上下感觉是相对的、局部的，而埃舍尔却在局部空间里通过固定的古代物体来表达无所谓上下的宇宙观，真是意味深长。

如果《多利安柱体》只是通过一个简单古物体直接表达无所谓上下的思想，那么埃舍尔稍晚些的作品《上和下》(*up and down*，1947 年)则走得更远。他把这种上下混淆的情景推广到了环境。这幅画有两个场景，貌似相似，视角不同，光线不一，却奇怪地粘贴在一起。上面那个场景的视角是自上而下的，而下面那个场景却是自下而上的。但上景向上的地面不知怎么就成了下景向下的天花板。两个场景共拥有一个横着的楼，这个横着的楼的相邻两面变成了上下两个场景的一部分。这样的扭曲连接实在匪夷所思，但局部地看却看不出破绽来，这种粘贴术的确是非凡人所为。

图 5-56 画展

　　《画展》（*Print Gallery*，1956 年）是埃舍尔晚期的作品。同样是屋里屋外，有上有下，这幅画用了更深奥的理念和更高超的技艺揉合了创作和现实的一虚一实两个空间。揉合也不是普通的粘合，而是通过连续变换。这幅画从一个在画展的画廊里看画的年轻人开始，他所欣赏的画是一幅人工创作的城市风景画，画里有河，有船，有楼。画中楼房扭曲发展出来，蔓延到画廊外，晃过观众的眼睛，变到了实际的现实空间，最后竟然包括了画展所在的画廊，把看画的人自己也看进了画里！但实际上这种超循环在我们循序渐进的日常生活中似乎是很难瞬时实现的，在数学抽象的空间里中，这种变换就是非常规变换，一定会有奇点（即接近奇点处，变化率趋于无穷）。在这幅画中埃舍尔巧妙地利用拓扑变换将房屋围绕奇点变形，越变越大，转一圈后，将后来地环境与开始的环境无缝衔接，然后将奇点用一团白雾遮住，并在上面签了名。埃舍尔将创作世界和现实世界如此融为一体，反映了他高屋建瓴的世界观。看了这幅画恍然想到我们自己也在看画，这幅画是不是也包含了我们自己？如果是这样，我们所在的宇宙是不是也有这种结构？那么宇宙中的奇点在哪里？不错，当我们去看待客观世界，别忘了我们也身在其中，我们的行为也改变着这个世界，而要认清这个受我们影响的客观世界不是一件容易的事，我们应该意识到其中一定有作为奇点的盲区。在物理中，就是"测不准原理"，而在中国古诗中也有"不识庐山真面目，只缘身在此山中"的诗句。这种画中有我，我中有画的意境令人回味无穷。如

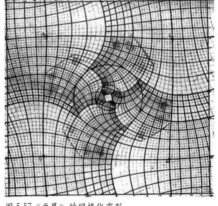

图 5-57《画展》的网格化变形

果苏轼用诗，那么埃舍尔的确用画笔给我们留下了这么一个迷人神奇的奇幻意境。

　　有意思的是，喜欢打破砂锅问到底的数学家们在解读这幅画时，对那被掩盖的奇点领域穷追不舍，他们会问，如果揭开那奇点附近的面纱，会是什么样？[1] 在美国加州大学伯克利分校和荷兰莱顿大学都拥有教职的数论学家兰思特拉 (Hendrik Lenstra) 说，"我开始意识到在埃舍尔的作品中，有着比第一眼看到它时多得多的数学"。兰思特拉不是说说而已，他真的着手研究埃舍尔的《画展》究竟是按照什么数学方式展开又重合的。最后他得出结论，埃舍尔图画具有性质：

将其旋转和收缩就巧合地再次给出了同样的图画。用数学术语来说，这幅画是周期的，不过它的周期 γ 是复数而不是实数。他进一步发现，埃舍尔的这幅画是保角的。那么按照他研究出的理论，是可以更多地填补埃舍尔这幅画中的奇点附近的空白。于是他用椭圆曲线理论计算 γ，根据变形了的网格，旋转地复制渐小的同样景象的版本，直到消失在奇点处。当然这又是一个极限过程，结果只是把奇点领域压缩到极小，画面不得不五十步笑百步地终止，然而人们还可以继续想象下去。下面从左到右就是逐渐放大的兰思特拉重构《画廊》奇点附近空白的结果。

图 5-58 《画展》中奇点的进一步精细

1. Sara Robinson. M.C. Escher: More Mathematics Than Meets the Eye, *SIAM News, Volume 35, Number 8, October 2002*，叶其孝译。数学译林 22, (2003) 81 – 88

下面这幅画大约是埃舍尔最著名的画之一了，它就是《瀑布》（*Waterfall*，1961 年）。这幅画利用了视觉的错觉，在二维画面上制造了一个三维不可能的奇空。

图 5-59 瀑布

在这画中，作者画了一个水磨坊，水沿着水渠慢慢流，然后到了看来是顶端的水口倾泻而下，推动磨坊水车，然后再循环。慢着，如果水一直下行，怎么可以循环回到瀑布上口，如果水是慢慢上升，那又怎么可能？不是谁都知道"水往低处流"吗？难不成埃舍尔真的造成了"永动机"？再仔细看那个之字形的水渠，才发现上了埃舍尔的当。那里面之字形的支撑柱子，从常识判断应该在水行进路线的左侧，他却画到了右侧，然后利用水渠边缘下降的墙堰，让读者局部地感到水在下行，但却利用里面错位的柱子，把水口撑到了上方，使之在二维面上实现了一个"永动机"。这种扭曲的结构就是本质上就是两个数学物理学家彭罗斯给出的"彭罗斯三角形"。这是一个在我们三维现实中不可能实现的形状。为了装得更像，埃舍尔还不忘将辅助细节的功夫做足，右端小屋有个妇人在晾衣服，看来是这个磨坊的女主人，而瀑布下面阳台上的人看来是男主人，他什么也不需要干，可以仰天晒太阳！当然最值得一提的是水渠柱子顶端的两个多面体，左边那个是三个立方体的组合，右边那个就是神秘的埃舍尔体。

《观景台》（*Belvedere*，1958 年）画

图 5-60 彭罗斯三角形　　　　图 5-61 埃舍尔体

图 5-63 观景台

的是一个优雅的贵族观景台，初稿时被作者称为《鬼屋》，和《瀑布》一样也是利用了不可能形，不过这一次不是三角形，而是立方体。这个立方体的边不是平直的，而是穿插扭拧的，这种立方体被称为"不可能立方体"（Impossible Cube），埃舍尔让楼下广场坐着的那个人手上就拿了这么一个箱框，给观众一个暗示。

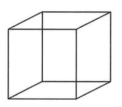

图 5-62 奈克立方体（左），不可能立方体（右）

　　不可能立方体来自奈克立方体（Necker cube，见上图），由瑞士晶体学家路易斯·阿尔伯特·奈克（1786—1861 年）展示的。其实就是一个简单的二维平面上画的立方体。只不过这个立方体没有虚线，每条边都有另解，中间的两条竖棱既可以看成左里右外，又可以看成左外右里，前者观众视线看到立方体顶面，后者观众视线看到立方体底面。不可能立方体就是在此基础上将立方体的边框用条棱代替，通过光影将棱边里外皆通，产生观感歧义，就形成了不可能立方体。

这个观景台从第一层看水平截面是一个平行与山脉的矩形，也就是顺着那个贵族眺望的方向。而到了第二层，不知怎么了，观景台被拧了90度，横截面变成了垂直于山脉的矩形，即在第二层上观景的贵妇人眺望的方向。再仔细一看，在第一层，除了最外边的两个柱子没问题，其他都是问题柱子，它们前后撑错位了，前面的柱子撑到了第二层的后面，而后面的柱子撑到前面，好像在那儿跳交叉舞步。最令人难以思议是那个梯子，下面明明在亭子里，到了上面就跑到了亭子外面。亭子的底层是一个监室，还关押者一个囚徒，或者这就是鬼，好像亭子的所有不对，都是这个鬼在施咒。观画者也被咒语怔住了。

埃舍尔用画作《相对性》（Relativity，1953年）描绘了一个失重的空间，不过这个失重却是有限的，也就是说人们只可以选择三个方向行走，或者头朝上，或者头朝左，或者头朝右。或者说是三个垂直方向的重力作用在一个空间上，却互不干扰。这幅画在二维平面上画了三个面，假定我们还是头朝上的，那么这三个面分别是上左右。一旦选择了某个方向，图都可以解释通，因为脚下的平面就是地面，周围的平面就是墙。由于观众所处的位置，头朝上的位置在图中比其他两种位置特殊点，所以还有一个能感觉到的地面。作为补偿，头朝左和头朝右的位置分别有户外花园。中间醒目的三个楼梯，大家都可以用，只不过方向和用的面各不相同。在埃舍尔的时代，宇航技术还没有如此发达，人们很难理解失重这种任何平面都可以成为地面的状态。这幅画创作8年后，也就是1961年4月12日，苏联宇航员加加林（Yuri Alekseyevich Gagarin，1934—1968年）乘东方1号飞船升空，历时108分钟，代表人类首次进入太空。但埃舍尔却能提前臆想这样的状态，的确很了不起。

图 5-64 相对性

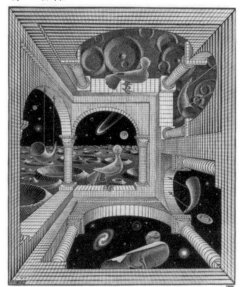

图 5-65 彼岸 II

在《彼岸 II》（*The other world*，1947年）中，埃舍尔也描绘了失重状态，只不过这次是直接把环境放到了茫茫太空中。我们看到了一个类似立方体的方块，立方体的方块一面朝着观众，另外五面分别镂空有六扇窗户。每扇窗户分别站立着三只鸟或挂着三只号角。鸟站立的方式分别为，头朝上，头朝里和头朝外；号角弯得方向也分别不同，甚至在同一面墙上开的两扇颠倒的窗上的挂的号角也分别颠倒。透过窗户，我们看到的是太空的景色，有环山，有星球，有旋云，真是彼岸的另一个世界。

《上升和下降》（*Ascending and Descending*，1960 年）是一个修道院的俯视图。这个图实际上应用了彭罗斯阶梯。其悖理较为隐蔽，两队僧侣相向而行。沿着他们的路线，观众惊奇地发现，一队总在上楼，另一队总在下楼，这怎么可能！再仔细观察，发现又上了埃舍尔的当！埃舍尔利用在二维上表现三维的视觉差异，将一个平的环形画成了锯齿形，表面上每步都在上（下）台阶，实际上非台阶部分是一个相反的斜坡。这种形状在实际中也是存在的。这样，这个环形实际上就是一个平面，两队人都在走平面，但埃舍尔瞒天过海，用每个人上下楼的动作和窗户的变形给出错觉。

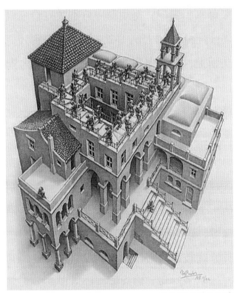

图 5-66 上升和下降

图 5-67 彭罗斯阶梯

《凸与凹》（*Convex and Concave*，1955 年）也是一幅利用视觉错觉的构图。画的是一个复杂的交叉桥，布满了弧形设计：弧形的楼梯，弧形的门槛，弧形的窗眉，弧形的过道。如果只是弧形，倒也没有什么，但埃舍尔却利用二维平面画三维时留给读者想象的空间里做文章。我们在二维画面上感受三维，多半要借助光线。然而二维就是二维，想象没有唯一。如图中间那个明暗相间的扇贝，如果认为光线是左边照过来的，那么这个扇贝是凹的，但如果认为光线是从右边照过来的，那么这个扇贝就是凸的。埃舍尔充分利用了这点，在这幅画不同的部位，暗示光线照过来的方向不一致。事实上，这幅画基本上是中线对称的，两边明暗正好相反，中间的过渡也很自然。但如果仅仅看半边，画都没问题，可是当观众眼光从画的一边移到另一边时，忽然间就会感到天翻地覆了。因为，这时脑子里还认定着刚才的光线方向，但如果是这个方向，凹和凸就换向了。埃舍尔为此，让两边略有不同，做了点强化。右边梯子

架着的板露了个空，还有倒挂的壶，让人认为这块板是下面的天花板，
而这块板延伸到左边，坐在上面的人表明这分明是块地板。两边各有一
个滑轮支架，而固定的方式却不同。右边的旗子暗示上面的弧形过道是
拱桥的下方。而另一边过道却走着一位提着篮子的妇人，的确是在拱桥
的上方，下方甚至还有条船。这位妇人一定不敢走过那个扇贝，因为一
过那里她就被倒挂了！旗帜上画的正是那著名的引起视觉错觉的立方体
堆。那些弧形的楼梯，一会觉得它凹进去，一会觉得它凸出来，看得人
眼花缭乱。看来埃舍尔不把观众搞晕誓不罢休！

图 5-68 凸与凹

几何

埃舍尔对几何多面体情有独钟，各种多面体经常出现在他不同题材的画作中，他还出了一本关于正规几何体的书《*Regular Division of the Plane*》。不仅如此，他还是一个业余天文学爱好者，20 世纪 40 年代，他成为荷兰气象和天文协会的成员。我想如果埃舍尔与科学界，特别是分子结构晶体界的对话再早些，他还一定会成为物理、化学、生物、建筑特别是数学等诸多协会成员。他多次专门以星为题做了许多木雕和木刻。

图 5-69 坐着的裸女

《坐着的裸女》（*Seated Female Nude*，1921 年）就是他早期绘画几何特征化的一件典型作品。

下面这幅《星》（*Star*，1948 年），埃舍尔将不同的多面体分别以实体和棱边形式放在同一幅画里，形成群星闪烁，互相照耀的效果。我们知道，一共只有五种正多面体（又称柏拉图立体，即各面都是全等的正多边形且每一个顶点所接的面数都是一样的凸多面体）：正四面体，正六面体，正八面体，正十二面体和正二十面体，我们在这幅画中可以全部找到。多面体有个很有意思的公式，叫欧拉公式。其顶点、棱边和面满足关系式：

$$顶点数 + 面数 = 棱数 +2$$

这个公式由笛卡尔发现，欧拉给出了严格证明。上面正多面体只有五种的断言也是来自这个公式的推论。

然而埃舍尔不满足于此，他还利用正多面体的组合，叠加，互嵌等方式构造更多的多面体，有的以后还被命名为埃舍尔多面体。这幅画由漂浮在空中的多面体组成：正中的一个多面体和围绕它四周的四个小一些的多面体和其他作为背景的众多更小的多面体。正中最大的多面体由三个正八面体的棱边互嵌组成，并且其中缠绕着两条埃舍尔最喜欢的变色龙。埃舍尔说，他选择变色龙"是因为它们可以用自己的舌腿尾依附并强调它们的笼子好像旋过空间"。如果读者还看不清楚，可以通过右下角那个小一些的与此相似的但为实体形式的多面体去理解。另外三个小些的多面体分别为：左上角的多面体由一个正八面体和一个立方体（正六面体）组成，右上角是一个星状八面体，即由两个四面体

镶嵌而成，左下角的多面体由两个立方体镶嵌组成。

在下面这幅《两个星体》（*Double Planetoid*，1949 年）以多面体作为主体的画中，寓意更为深刻，已超出了数学本身的含义。埃舍尔充分利用了互嵌将两个不同颜色分别是人造和自然风格的四面体穿插组合在一起，多面体的尖角被分别画成了楼顶和山峰。这幅画表达了人文和自然以及不同文化可以互相独立又可以融合贯通在一起。

图 5-70 星

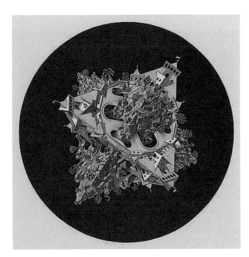

图 5-71 两个星体

在埃舍尔众多的多面体中，有一个多面体需要特别提出，这就是后来以埃舍尔命名的多面体：埃舍尔体（Escher's solid）。埃舍尔体在埃舍尔著名的画作《瀑布》中出现，也在下面这幅叫作《群星探索》（*Study for Stars*，1948 年）的多面体全家福木刻中最为显著。这幅包含全部正多面体的多面体全家福，从左到右，从上到下：正立方体和正八面体组合，正四面体，埃舍尔体，菱形十二面体，正二十面体，正八面体，正六面体（立方体），星形八面体（两个四面体组合），正十二面体，两

图 5-72 群星探索

个立方体组合。虽说的是全家福，却不呆板，各多面体错落有致，大小协调，表现了一种结构美。

我们来特别谈谈埃舍尔多面体。这可以说是埃舍尔的原创几何体了，是作为艺术家的埃舍尔对数学的贡献。

1. 它是一个星状菱形十二面体（Stellated Rhombic Dodecahedron），即在一个菱形十二面体的每个面上"长"出一个四棱锥而形成的多面体。

2. 它可用八个相同的小八面体组合而成。

3. 它也可由三个完全相同的大八面体相嵌组合而成的。

4. 它还可以既无重复又无缝隙地填满整个空间。这很难想象，却是事实！

当然作为艺术家的埃舍尔，不会让他钟爱的这个多面体只当个规规矩矩的陪衬。1958 年他用枫木雕刻了一个美丽的花叶繁茂的修正版的埃舍尔多面体，他把它叫作《花朵多面体》（*Polyhedron with flower*，1958 年）。这个雕刻中，叶子巧妙地变成了多面体的菱角，而花藏在了叶子深处的

枝丫中。这个雕塑极富装饰性，这是数学、艺术和实用最完美的结合。

图 5-73 花朵多面体

微积分的发展使人们有了分析的工具去研究几何，微分几何也就应运而生了，几何就不是传统意义上的几何。古典微分几何的创始人被认为是欧拉、蒙日（Gaspard Monge，1746—1818 年）和高斯。接着非欧几何的出现引起数学史上的一大革命。所谓非欧几何，是指将古希腊数学家欧几里得所建立的几何系统中的第五公设换成其否定命题所构成的新几何系统。它

有两种形式：俄罗斯数学家罗巴切夫斯基（Nikolas lvanovich Lobachevsky，1792—1865 年）用"过直线外一点至少可以引两条直线平行于已知直线"这个命题代替第五公设，那么就得到罗巴切夫斯基几何，又称双曲几何；德国数学家黎曼用"过直线外一点不存在平行于已知直线的直线"这个命题代替第五公设，那么就得到黎曼几何，又称椭圆几何。这两个系统在理论上都是独立完备的。却对人们常识熟悉的欧几里得几何系统产生挑战。如在罗巴切夫斯基和黎曼几何里，三角形内角之和分别小于和大于 180 度。随着科学的发展，到了埃舍尔的时代，大到宇宙，小到量子，人们的视野的更加开阔或聚微，人们发现在宏观和微观世界，几何系统更"非欧"。如爱因斯坦的相对论中，黎曼几何就扮演着重要角色。对这个革命性的领域，埃舍尔的画当然不会缺席。

下面的这幅图叫作《球面上的鱼》（Sphere Surface with Fish，1958 年），是表现球面几何的典型。在这幅图中，埃舍

尔拿手的黑白镶嵌的鱼在球面上往球极游时越来越小，却在球面上上保持着某种自相似性。与我们一般表示地球不同，这个球不是简单地以经纬线描述，而是用了一族汇于球极的旋线，但不管是什么线，球面上的几何的性质是一样的。

里得几何（零曲率）和罗巴切夫斯基几何（负曲率）的。第三幅也叫《圆极限Ⅳ》（*Circle Limit IV*）。也许，在埃舍尔眼里，天使和魔鬼本来就是以各种方式共生共存的。

图 5-74 球面上的鱼

图 5-75 天使与魔鬼（1942 年）

下面这三幅《天使与魔鬼》（*Angle-Devil*）分别作于1942年、1941年、1960年，镶嵌着天使和魔鬼的是木雕、铅笔画和木刻和被彭罗斯拿到他的《通向实在之路》书中分别解释黎曼几何（正曲率）、欧几

图 5-76 天使与魔鬼（1941 年）

图 5-77 圆极限 IV（1960 年）

　　下面这幅画可能是埃舍尔最后的作品了。埃舍尔在他的朋友，著名的几何学家考克斯特（Harold Scott MacDonald Coxeter，1907—2003 年）的一本书里发现了一个用来刻画罗巴切夫斯基几何的模型，然后将此用来创作他的作品。经过了一系列尝试和改进，他完成了圆极限系列。最后又以他惊人的毅力，拖着病体，完成了下面这幅《蛇》（Snakes，1969 年）。这个蛇盘上，有一圈圈圆环，圆环由内到外，由小变大，到边缘附近再度变小。环环相扣构成罗巴切夫斯基几何的结构。也许蛇的柔软躯体更容易来诠释扭曲的空间，三条头尾相接的大蛇缠绕这个罗巴切夫蛇盘上。画面精致，美丽，演绎出了埃舍尔的绝唱。

图 5-78 蛇

　　埃舍尔的博物馆在荷兰海牙。埃舍尔给艺术，也给数学留下了一笔巨大丰厚的遗产，他是艺术大师，如果说他是数学大师也是可以的。

岱宗夫如何？齐鲁青未了。造化钟神秀，阴阳割昏晓。
荡胸生层云，决眦入归鸟，会当凌绝顶，一览众山小。

——杜甫《望岳》

第 *6* 章
中国画中的数学元素

中国画和西洋画走的是不一样的路。西洋画从现实到抽象，经过了许多艺术家多年的努力，而中国画一直追求的"神似"而很少在乎过"形似"，最多"神形兼备"。不过西洋画也越来越往意念上走，是不是有点殊途同归呢？对于画品和实物之间的关系，我们的前辈艺术大师早就有非常深刻的见解，而这些见解也是我们后来的数学应用所拥有的理念。中国画史上争议最多的而且失传的画是盛唐时期的著名诗人王维所画的《雪中芭蕉》。从画题看，王维把南方的芭蕉画到了北方的雪里，写实派认为大逆不道，不能接受，而我们从数学的角度看，王维只不过做了一个空间变换而已。

中国画一般分为山水画、花鸟画、人物画和风俗画。

图 6-1

山水画

中国哲学思想的一大特征是重整体轻个体，看待事物由大到小，从上而下（top down），而不像西方那样由小到大，从下而上（bottom up）。如中医讲究阴阳平衡，气血流畅，五行相谐，经络通脉，反对头痛治头脚痛医脚，而西医则试图将各种病理药性研究清楚。"top down"和"bottom up"也是处理数学模型的两种方法。作为形象艺术的画，这种特征更加明显，正如南朝谢赫的"六法"中所总结的"气韵生动，骨法用笔；应物象形，随类赋彩，经营位置，传移模写"。也就是说中国画重视意境，轻视形象，重视整局，轻视个体。传统的国画并不要求所画的完全反映现实物体，而是经过画家的想象再现纸面的结果。这一点和西方现代主义艺术的观点不谋而合，也和数学中拓扑的理念有相通之处。

拓扑学是研究各种"空间"在连续性的变化下不变的性质。例如，一个中国的古圆方孔铜钱币和一个西方的甜圈饼，在拓扑学看来属于同一类，可以找到一个连续影射把它们连起来。中国画中也有这样

的特点，画笔下拱形类的东西都可以称为"山"，波纹类的东西可称为"水"。至于能不能再现实世界中找到这样的山和水的原形不重要，重要的是这种山水布局带给观众的这个"山"气势，"水"的流运以及整体的意境。

在盛唐时期，能与李白、杜甫鼎足而三的诗人，只有王维。

王维（701—761 年），唐朝著名诗人、画家，字摩诘，号摩诘居士，世称"王右丞"。被后人称为"诗佛"。他是一位诗琴书画的全才，被尊为中国山水画"南宗"之祖。王维曾在诗中说自己"宿世谬词客，前身应画师"。他画水墨山水，并把他的理想寄托于其中，使之具有一种空灵静谧的气质。他把诗词中的唯美想象和工整格律带进了山水画，将诗情画意融为一体，苏轼高度评价他的诗与画，说"味摩诘之诗，诗中有画；观摩诘之画，画中有诗"。画家这种以诗文书画紧密结合，以朴拙清新的画面意趣，以水墨画技法为风格特点之一。然而因为时间久远，他的绘画真迹已

难觅。流传于世的画作都有存疑。《江干雪霁图卷》就是一幅传说是王维的画作而有争议的作品。我们在这里不做画品鉴定，而只欣赏画作。

我们先来朗诵一首据说是王维的诗《画》：

图 6-2 江干雪霁图卷

远看山有色，近听水无声。

春去花还在，人来鸟不惊。

《江干雪霁图卷》画面远近层次分明，基本是一种俯视的视角，左上是远山，右下是近石。近石颇为怪异，压着几间民房。民房后有条冰河，河上有座通向深山深处小桥。整个画面银装素裹，雪山冰河，小桥、房屋、地面都披上一层雪白的外衣，十分素雅幽静。画面气势通连，浑然古朴，突显大自然的神韵和禅意的情趣。正如作者自己在《山水诀》第一段所说："夫画道之中，水墨为上，肇自然之性，成造化之功。"另一方面，我们也似乎看到王维诗《鹿柴》的意境。

空山不见人，但闻人语响。

返景入深林，复照青苔上。

更为精妙的是，我们的确好像听到了人语。小屋前有两个人正在对话，其中一个持杖，像是远道而来，另一个像是在迎接。那情景让我们想起了贾岛的一首诗《寻隐者不遇》：

> 松下问童子，言师采药去。
>
> 只在此山中，云深不知处。

在数学中，我们有一类工作，叫证明存在性。例如，对一个方程，我们解方程，有时具体解找不到，但我们可以证明解是存在的，而且是在什么范围里存在。很多情况下，这也够了。这种存在性证明和此画此诗有异曲同工之妙。

明代画家吴伟的《渔乐图》也是典型的中国古典山水图，现收藏于北京故宫博物院。

吴伟（1459—1508 年），明代著名画家，字次翁，又字士英、鲁夫，号小仙。江夏人，幼年丧父，被湖广布政使钱昕收养到江苏常熟。他从小就显露出绘画天赋，7 岁时就神童般地绘画题字"白头一老子，骑驴去饮水。岸上蹄踏蹄，水中嘴对嘴"。17 岁时，受到成国公朱仪赏识，称其为小仙人。从此，吴伟便以"小仙"为号。1480 年，

明宪宗召见他并赐予"画状元"印章和锦衣卫镇抚的职位，任职于画院。吴伟才高放荡，甚至被皇帝传唤时，也喝得酩酊大醉。他这种性格和诗仙李白有一比，后来导致他丢掉画院职务，最后也因贪杯 50 岁就离世了。

图 6-3 渔乐图

吴伟擅长画山水，时常绘制巨大的山水画卷。他的画飘逸灵气，有众多追随者，形成兴浙派山水中的"江夏派"。

从整体看，这幅渔乐图布局错落有致，有张有弛。重头戏的山占据了整个画面右上部，主角的水则顺着有峰有谷的山势形成一个有峰有谷的S型。水纹的细节基本被忽略，而用浮在水面上的船来反衬。画中山和水的比例基本符合黄金分割原则，将山的巍峨险峻和水的平静柔美表现得淋漓尽致。画面色彩的浓淡由近至远渐行渐轻，由清晰可触到虚无缥缈。好似一个数学函数一项项地展开，反映函数性质的重要性也一项项地弱化。例如画中的树，最下方最近的树画得细致入微，中下方的树被处理成有形却含糊，而远方的树就只剩下了痕迹。画中最精彩的是那些起着点睛作用的渔船，呼应画题"渔乐"。因为这些百舸争流的渔船，整个画面活了起来。它们赋予了这幅画生命。渔船的处理和树一样由近至远从强到弱。作为渔船的主人渔夫，画家并没有细描，只有在最近的几

条船上可以看到他们渔乐的身影。但从整个画面中渔船的布局我们可以感受到渔夫们在大自然的怀抱里是多么地悠然自得。画中的那些拓扑山和拓扑水有着中国山水画的共性，也有它们自己的特性，在作者的笔下表现出天人合一，超凡脱俗，回归自然的神韵。

图 6-4 张大千自画像

图 6-5 秋色 (1965 年)

西方画家都喜欢画自画像，而中国画家很少留下自画像，张大千是留下自画像的极少数大师之一。这幅自画像里，大师美髯长须，飘飘欲仙，眼光远眺，表情欢愉。

张大千(1899—1983 年)，四川内江人，中国泼墨画家，书法家。20 世纪 50 年代，张大千游历世界，曾和毕加索切磋，获得巨大的国际声誉，被西方艺坛赞为"东方之笔"。

《秋色》是张大千泼彩山水画的代表作。作画的方法仍是中国画的大写意画法，却浓墨重彩，将万山秋色透红，层林云中有染画了出来。整个画面气象万千，云雾缭绕，变幻莫测，秋红在浓雾中顽强泛出，特别是一颗悬崖边长满红叶的树，点醒画面，使得画意传达了出坚强的生命力，山下似乎不经意的几间民房衬托出山势的雄伟和暗喻着人与自然的关系。这幅画让我们想起欧洲风行一时的"印象派"的模糊技法，张大千这类泼彩山水画，颇有印象派的意味又保持了中国画的风韵，堪称"印象山水画"。

花鸟画

花鸟画是中国绘画的一大类，文人墨客常借物言志，表达情怀。因此历史上有一大批花鸟画大师，郑板桥就是其中之一。

郑板桥（1693—1765 年）名燮，字克柔，汉族，江苏兴化人。清代官吏，康熙秀才、雍正举人、乾隆元年进士，曾历任河南范县、山东潍县知县，传惠政。后因饥民得罪大吏而归隐扬州，以卖画为生，是著名的"扬州八怪"之一。他的诗、书、画俱佳，又称"三绝"，擅画兰、竹、石、松、菊等，尤以画竹有名。

图 6-6 郑板桥自画像

代表作品有：《修竹新篁图》《清光留照图》《兰竹芳馨图》《甘谷菊泉图》《拄石干霄图》《丛兰荆棘图》《画竹留赠图》等。

关于画竹，郑板桥有这样一段名言：

> 江馆清秋，晨起看竹，烟光日影露气，皆浮动于疏枝密叶之间。胸中勃勃遂有画意，其实胸中之竹并非眼中之竹。因而磨墨展纸，落笔稍作变相，手中之竹又不是胸中之竹，总之意在笔先。定则也。趣在法之外者，化机也，独画之乎哉。构思时先得成竹与胸中，执笔熟视，乃见其所。

郑板桥的艺术理念实际点出了一个重要的数学概念：建模。他给出了三个空间：客观空间、主观空间和模型空间。他指出这三个空间的对象（竹）之不同，通过这些对象在这三个空间中的关系（函数），建立起这些对象的联系（映射）。在西方纠结于文艺复兴后工业革命时艺术何去何从之际，郑板桥的理念无疑是先进的。在我们今天看来，他给出了一个完整的建模过程：有定则（基本原理，主要矛盾，对象特征），有化机（形式变换，

作者兴趣，可能想象），而这个过程与我们的科学研究思想高度重合：

> 眼中之竹 —— 客观实体
> 心中之竹 —— 抽象概念
> 手中之竹 —— 应用模型

郑板桥还有一幅著名的书法作品：难得糊涂。这个四字断语书意皆绝。意喻含蓄深刻，书法妙趣无比。他将真、草、隶、篆书融为一体，有"乱石铺街、杂乱有章"之誉。而"难得糊涂"四字还有着一段有趣的典故传说。

某年郑板桥仙游，夜借宿于山中一野居。老屋主自称是荒野糊涂人却谈吐不凡，与郑酒逢千杯少。屋里更有一特大砚台，使之野居文馨风雅。郑板桥有感于老者大智若愚，便在砚台上题写了"难得糊涂"四字，并署上自己"康熙秀才，雍正举人，乾隆进士"的名章。郑板桥向老者讨教砚台来历，老者欣然挥笔："得美石难，得顽石尤难，由美石而转入顽石更难。美于中，顽于外，藏野人之庐，不入富贵之门

图 6-7 郑板桥的竹石图

也。"写罢盖印章"院试第一,乡试第二,殿试第三。"郑板桥方才知道老人是一位隐士旧官。他见"难得糊涂"下还有空处,又提笔补了段文字:"聪明难,糊涂尤难,由聪明转入糊涂更难。放一著,退一步,当下心安,非图后来福报也。"

图 6-8 难得糊涂

多年来,很多人一直把郑板桥的这段名言作为人生哲理,体味其中所隐含的聪明与糊涂之间的辩证关系。领小糊涂而避大昏庸,弃小聪明而求大智慧,此乃难得也。

数学本是精确而严格的科学,是拒绝糊涂的。然而在数学的应用和建模中却也要追求"神似"而难得糊涂一下,例如意大利数学物理学家伽利略在测算重力加速度时忽略空气阻力,再如金融数学家费希尔·布莱克(Fischer Black,1938

年—1995 年)和迈伦·斯科尔斯(Myron S.Scholes,1941 年—) 推导那著名的 Black-Scholes 方程时假定市场无摩擦等。事实上,实际的问题包罗万象,错综复杂。我们把数学应用到这些实际问题的时候,必须要关注主要矛盾而忽略次要因素。要抓住主要矛盾建立数学模型,找出主要树干之间的定量关系,而不让次要纷繁的枝枝杈杈干扰我们解决问题的进程。这就是我们数学建模的第一步——假设。这时郑板桥的"难得糊涂"给了我们如何处理次要枝杈和如何假设的良方。

图 6-9 藏于北京故宫博物院《花篮图》(夏)

图 6-10 藏于台北故宫博物院《花篮图》（冬）

图 6-11 藏于日本的《花篮图》（春）

　　宋朝李嵩的《花篮图》，是典型的静物花鸟画，但却是很有意思的系列静物画。

　　李嵩(1166—1243 年)，宋钱塘人。出身贫寒，年少时以木工为业。因喜好绘画，被宫廷画家李从训收为养子，承授画技，终成一代名家。宋光宗、宋宁宗、宋理宗三朝（1190—1264 年）画院待诏，时人尊之为"三朝老画师"，人物、山水皆画，花卉皆长。

　　《花篮图》是李嵩的同题材系列画，每幅中竹篮编织精巧，里面放满了各色鲜花。小小的花篮折射出繁花似锦的大自然，每季有每季的精彩，画家对自然、生命的热爱和关注洋溢绢上。这些画幅虽然不大，但描绘细腻具体，线条富有表现力，着色艳丽雅致，构图饱满平衡。现在存世的李嵩花篮图有三幅，一幅藏北京故宫博物院，一幅藏台北故宫博物院，一幅藏日本，幅上皆款书"李嵩画"，都印有"项子京家珍藏"鉴藏。几幅画的表现手法一致，唯花篮编法和篮中花卉有别。藏北京者，篮中为蜀葵、栀子、百合、广玉兰、石榴花等夏季花卉；藏台北者，篮中为茶花、梅花和水仙等冬季花卉；藏日本者，篮中为碧桃、海棠等春季花卉。可以推论，李嵩的花篮图当时应该有春、夏、秋、冬四景。那失传的秋篮，让我们又遗憾又好奇。通过其他三幅画的信息和数学的逻辑推断应该是：1.篮子的方向和春篮相同，提手左里右外；2.落款应在右下角；3.花篮里应该有菊花等秋花；4.秋篮的编织应该和春篮相似，密度介于夏篮和冬篮之间。缺损有时是美的，留给了我们想象的空间。就像红楼梦的后40回，维纳斯的断臂一样，永远让后人好奇，不停地有人当"续补者"。这花篮系列的秋篮就有了好几个后补版本。李嵩用典型的静物画描绘四季的变迁，将时间周期通过花篮中的花的变化表现出来，真乃一绝。

　　齐白石（1864—1957年），生于湖南湘潭。原名纯芝，字渭青，号兰亭。后改名璜，字濒生，号白石、白石山翁、老萍、饿叟、借山吟馆主者、寄萍堂上老人、三百石印富翁。齐白石是近现代中国绘画大师，世界文化名人。早年曾为木工，后以卖画为生，后定居北京。擅画花鸟、虫鱼、山水、人物，

笔墨雄浑，色彩明快，造型生动，意境淳朴，天趣横生。

图 6-12 被称为齐白石自画像的《老当益壮》

　　我们来欣赏他的《他日相呼》图轴。画面上的两只小鸡在争抢一条蚯蚓。图画充满童趣，质朴可爱。两只小鸡都想独占蚯蚓，

但单凭自己的力量又搞不定，所以如何合作并在合作中让自己的收益最大化就成了学问。这种生活中的小情景虽然常见却揭示了社会活动中的一个重要内容：合作与竞争。研究这种行为的科学叫博弈论。

博弈论又称为对策论（Game Theory），属于运筹学。对策问题是二人在平等的对局中各自利用对方的策略变换自己的对抗策略，达到取胜的意义。博弈论在经济、政治、国际关系、军事、进化生物学以及当代的计算机科学等领域都有广泛地应用。博弈论已经成为经济学的标准分析工具之一。

我国古代的著名军事家孙膑（？—前316 年）的《孙子兵法》不仅是一部军事著作，而且算是最早的一部博弈论专著。我们熟知的典故"田忌赛马"是一个非常著名的博弈论例子。博弈论理论正式发展成一门学科则是在 20 世纪初。1928 年冯·诺依曼证明了博弈论的基本原理，从而宣告了博弈论的正式诞生。前面提到过的天才数学家纳什给出了纳什均衡的概念

和均衡存在定理。现代博弈论主要研究公式化了的激励结构间的相互作用，是研究具有竞争性质现象的数学理论和方法。博弈论考虑游戏中的个体的预测行为和实际行为，并研究它们的优化策略。

齐白石的画题"他日相呼"意味深长。

图 6-13 他日相呼

人物画

中国人物画的对象有神话人物、仕女、肖像、历史故事主角等。

我们来欣赏一幅另一种风格的完成于晚唐的，没有画家款印的《宫乐图》。这幅画被认为是唐代仕女画的经典之作。它描绘了后宫嫔妃十人，围坐于一张巨大的方桌，有的品茗，有的摇扇，有的抚琴，有的吹乐。所用乐器为筚篥、琵琶、古筝与笙，而所饮的茶按当时的茶道和茶具通过桌上的茶釜添到手中的羽觞品尝。旁立的两女中，一人在击拍，一人在伺茶。桌底还有一只昏昏欲睡的小狗，整个一种悠闲雅享的氛围。宁静的画面虽然没有直接传递给我们优美的音乐，但我们还是可以感受那优雅陶醉的气氛。

图 6-14 宫乐图

然而引起我们注意的除了宫女们慵懒婀娜的姿态和富丽华美的衣饰，还有那张方桌。这张巨大的方桌，如果还可以叫作方桌的话，比例是不符合实际的。它与聚焦透视原理相悖，成为一个倒梯型，而且高低也不对。我们好奇，为什么桌子要画成这个样子，不会是本来就这个形状吧？不过仔细分析了整体的画面，我们发现了作者的良苦用心。要将十二个不分主次的美人画在同一张二维平面上，本来就不是一件容易的事，还要把每个人画得有特点，而且在围坐中既不抢镜头又不被遮掩。作者采用十坐两立，坐者 4-2-4 式，外面两位空缺，好像是那两位让开镜头，移位旁立，既填补了画面空白又让出了观赏空间。为了不使坐在里面的宫女弱化，桌前的十女大小几乎一样（同样违背聚焦透视原理），这样是为了让每个宫女都有充分展示自己的空间而不被遮蔽，作者煞费苦心地将里面的桌边拉长拉高，使之成为一个拓扑桌。作者以牺牲局部桌面的实际性来换取整体结构的和谐优美。这张画反映了中国画的

另一个特点，即二维平铺，散点无焦，恰似数学中的二维函数图。在这幅画里，桌边就像一个折曲的数轴，人物就像一些函数散点沿着数轴表演，每个人都有同等的函数点的地位。在这张画里，每个人都可以是重点，每个人都可以是主角。作者在乎的是整体那种优雅的气氛，而不让任何个体突出，破坏这种气氛。为了这种整体感，局部的东西是可以扭曲的。作为对比，我们回顾一下达·芬奇的《最后的晚餐》，他采用了把十三个人都放到桌子里边的做法，但采用了透视法则，也突出了主角耶稣。

五代周文矩的《重屏会棋图》也是一幅很有数学意味的著名画。这幅画描绘了南唐中主李璟（位于正中）与其弟景遂，景达，景过下棋情景。据说此局在棋盘上对弈，利用博弈下出了政治谋略，乃至影响了后来的时局走向。不过这里还有一个有意思的隐喻是四人身后屏风上画白居易"偶眠"诗意，原诗为：

放杯书案上，枕臂火炉前。

老爱寻思事，慵多取次眠。

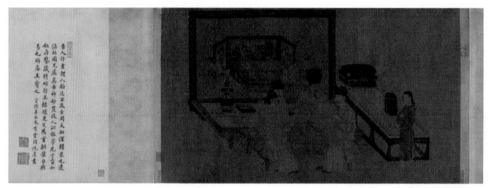

图 6-15 五代 周文矩 重屏会棋图

　　妻教卸乌帽，婢与展青毡。

　　便是屏风样，何劳画古贤？

　　这个屏风上又有一扇山水小屏风，这种屏套屏，用数学的话就是迭代。所以画名用了重屏。此画现收藏于北京故宫博物院。

　　《论衡·谈天篇》载：共工与颛顼争为天子不胜，怒而触不周之山，使天柱折，地维绝。女娲销炼五色石以补苍天，断鳌足以立四极。天不足西北，故日月星辰移焉；地不足东南，故百川注焉。任伯年的《女娲炼石》即取材于这一故事。

　　任伯年（1840—1896 年），清末著名画家。初名润，字次远，号小楼，后改名颐，字伯年，别号山阴道上行者、寿道士等，以字行，浙江山阴航坞山人。任伯年是我国近代杰出画家，是"海上画派"中的佼佼者，"海派四杰"之一。

　　《女娲炼石》没有像大多数以女娲为题材的画那样，画女娲补天的那一神圣时刻，而是描述了在补天前，女娲炼造用于补天的五彩石的过程。女娲的形状采用了他拿手的

图 6-16 女娲炼石

仕女的模样。画面非常简洁，只有怪石和女娲。女娲也没有炼石的大动作，而是优雅地静静地坐在那儿。也许炼造的过程已完成，只是在那儿等待成石。这个时间正是惊天动地电闪雷鸣补天瞬间前的寂静和安宁。因为在平静的画中刻画轰轰烈烈是很困难的，任伯年巧妙地选择了一种静，而这种静比直接刻画动而更让人感觉到即将发生的惊心动魄。这种以静喻动的手法好似数学中一个极限过程。在极限点，函数将发生爆破，而在极限到达前，函数是平稳的。值得注意的是，画中女娲的衣裙褶子和一般仕女飘逸的衣褶不同，这里的衣褶更像是前面石头的纹路，有加强固化的作用，从而强化了"静"，也就更强化了即将发生的翻天覆地的"动"。

风俗画

中国画的散点特征使得万里风光的长轴画卷成为可能。这也就是为什么中国名画多长轴，而这幅画也再次验证了中国传统文化"top down"的思想方法。

张择端的《清明上河图》就是长卷风俗画的代表。

图 6-17 清明上河图（春夏秋冬局部）

张择端，字正道，汉族，琅琊东武人，北宋画家，出生年月不详。宣和年间任翰林待诏，擅画楼观、屋宇、林木、人物。存世作品有《清明上河图》《金明池争标图》等，皆为我国古代的艺术珍品。

《清明上河图》，绢本设色，纵 24.8 厘米，横 528.7 厘米，北京故宫博物院藏。该作品以长卷形式，采用散点透视的构图法，沿着一条河展开中国 12 世纪市井生活的方方面面。作者写实地描绘了五百五十多个各色人物，牲畜五六十匹，车轿二十多辆，船只二十多艘。具宋代特色的房屋、亭楼、桥梁和城墙各展风采。从题目看应该是清明前后的景象。然而，从左往右，我们发现树的颜色在慢慢地变化，从开始的淡雅粉绿，慢慢加深，后来又渐渐变黄，直到最后树叶没落有了雪色（见上图）。这分明是四季

图 6-18 姑苏繁华图（衙门局部）

的演变。原来，这条河就是数学的时间轴，画卷不仅展示了市井的空间维度，而且延宕了生活的时间维度。这让我们想起了 19 世纪高更的那幅《我们从哪里来？我们是谁？我们到哪里去？》（图 3-39），如果高更描述的是人生哲理，那么张择端则表达了社会自然。

再来看一幅《姑苏繁华图》中衙门内外的局部画，这幅画也是用了俯视的视角及数学中的斜映射，将衙门内外的热闹反映出来。画面上官兵市民人物众多，房屋规整，街道宽敞，一番热闹的市井景象。如果全图描写的是民俗风情，那么这幅局部画则刻画的是官场仪式。

《姑苏繁华图》，原名《盛世滋生图》，是清代苏州籍宫廷画家徐扬用了 24 年时间创作的苏州风物的巨幅画作，是继宋代《清明上河图》后的又一宏伟长卷，现为国家一级文物。此画以长卷形式和散点透视技法，描绘了当时人人所赞的"苏州为东南一大都会，商贾辐辏，百货骈阗"之风情。徐扬，字云亭，苏州吴县人，家住阊门专诸巷，原是一名监生，擅长画山水和梅花。清朝乾隆十六年（1751 年），乾隆皇帝南巡到苏州，徐扬将此画进献乾隆皇帝，以赞乾隆盛世。《姑苏繁华图》现保存于辽宁省博物馆。

国画是个巨大的宝库，其中的数学因素还待进一步探讨。

后记

小巷，又弯又长，

没有门，没有窗

我拿把旧钥匙，敲着厚厚的墙

——顾城

数学和名画在我心中的地位都很崇高，而我的数学水平和艺术修养却有限。我自觉学识浅薄，却不知好歹地评头论足。如果不是博友们对我的鼓励，我很难有勇气把它整理成书。但从交流的角度上来说，和别人分享我的体会，听取别人的意见是大有裨益的。在成书过程中，寻找资料，阅读文献，我有了一次再学习的过程，也产生了许多新的想法，使得这本书更加丰满，也让我坚定了不同的学科需要交流才有生命的理念。我特别感谢为本书写序的中国科学院水利部成都山地灾害与环境研究所的李泳先生。李泳是我科学网的博友，他的博学渊识让我敬佩，但在请他写序前我们一直未能谋面。他拿到我的书稿后，认真阅读，给了我很多非常有建设性的意见。让我本来已近定稿的稿子再次大改，增色很多。他从研究的角度谈了数学和艺术的关系，非常有深度。非常感谢科普出版社的杨虚杰老师，她在我的书稿遇到困难时给予了最大支持，使我有勇气对书稿再次大幅修改，让此书更上一层楼，并使此书以如此精美的形式与大家见面。再次真诚地感谢大家！

最后以陈子昂《登幽州台歌》和美国诗人艾米莉·狄金森（Emily Dickinson）《等待一小时，太久》为结尾。

前不见古人，

后不见来者。

念天地之悠悠，
独怆然而涕下。

To wait an Hour—is long—
等待一小时，太久—
If Love be just beyond—
如果爱，恰巧在那以后—
To wait Eternity—is short—
等待一万年，不长—
If Love reward the end—
如果，终于有爱作为报偿—

(江枫 译)

作者